SAN[illegible] Y ARENA

VICENTE BLASCO IBÁÑEZ

Colección

LEER EN ESPAÑOL

La adaptación de la obra *Sangre y arena*,
de **Vicente Blasco Ibáñez**, para el Nivel 4
de la colección LEER EN ESPAÑOL,
es una obra colectiva, concebida creada
y diseñada por el Departamento de Idiomas
de la Editorial Santillana, S. A.

Adaptación: **Teresa García**

Ilustración de la portada: Cartel de toros del año 1902

Ilustraciones interiores: **Anciones**

Coordinación editorial: **Silvia Courtier**

Elfo, 32. 28027 Madrid
PRINTED IN SPAIN
Impreso en España por UNIGRAF
Avda. Cámara de la Industria, 38
Móstoles. Madrid
ISBN:84-294-3439-9
Depósito legal:M-12576-1996

Vicente Blasco Ibáñez (1867-1928) es uno de los maestros del realismo español. Escritor valenciano de fuerte personalidad humana, fue político, revolucionario y aventurero, dedicándose también a la literatura con gran entusiasmo: sus novelas sorprenden sobre todo por su fuerza dramática y por un estilo enérgico y nervioso que consigue arrancar a sus personajes sus sentimientos y emociones más profundos.

Blasco Ibáñez intentó caminos tan distintos como la novela regional valenciana (La barraca, Cañas y barro), *la novela social y política* (La catedral), *o la novela artística e histórica* (Entre naranjos).

Pero fueron Los cuatro jinetes del Apocalipsis *y* Sangre y arena *las obras que le abrieron las puertas del éxito internacional.*

Esta última, protagonizada en el cine por Rodolfo Valentino, Tyrone Power y Ava Gardner, entre otros, va mucho más allá del retrato del mundo cerrado y pintoresco de las corridas de toros.

A través de la figura del torero Juan Gallardo, Blasco Ibáñez nos descubre la sociedad de principios de siglo, con sus problemas económicos y culturales, a la vez que nos acerca al drama de una vida marcada por el azar y las pasiones, el éxito y la desgracia, la felicidad y el dolor.

RASGOS PARTICULARES DE LA LENGUA EN *SANGRE Y ARENA*

Algunas palabras aparecen en el texto *en cursiva* porque reflejan rasgos de pronunciación no pertenecientes al español estándar (castellano culto). Dichos rasgos se pueden reunir en tres apartados.

1. Rasgo del habla andaluza, extendido a Canarias y América.

   «z» pronunciada *s*: *corasón,* en vez de «corazón»; *grasias,* en vez de «gracias». Este fenómeno se llama **seseo.**

2. Rasgos del castellano meridional que se dan de forma casi generalizada en Andalucía, aunque algunos también se pueden encontrar en otras zonas de la Península.

   a) «r» y «s» no pronunciadas al final de una palabra: *hablá,* en vez de «hablar»; *leé,* en vez de «leer»; *escribí,* en vez de «escribir», y también, *adió,* en vez de «adiós»; *marqué,* en vez de «marqués».

   b) «l» cambiada por *r* delante de una consonante: *argo,* en vez de «algo»; *mardita,* en vez de «maldita».

   c) «d» entre dos vocales omitida en los participios, pero también en los sustantivos: *sacao,* en vez de «sacado»; *casao,* en vez de «casado»; *cuñao,* en vez de «cuñado», y *mataor,* en vez de «matador».

   d) «ll» pronunciada *y: cabayo,* en vez de «caballo»; *Seviya,* en vez de «Sevilla». Estos dos últimos rasgos son también de uso muy común en zonas del centro de la Península, particularmente en Madrid.

3. Vulgarismos que se dan en el habla popular, sin distinción de zonas geográficas.

   a) «b» cambiada por *g: güeno,* en vez de «bueno».

   b) En palabras cortas de uso muy común, desaparición de la última sílaba: *pa,* en vez de «para»; *ná,* en vez de «nada».

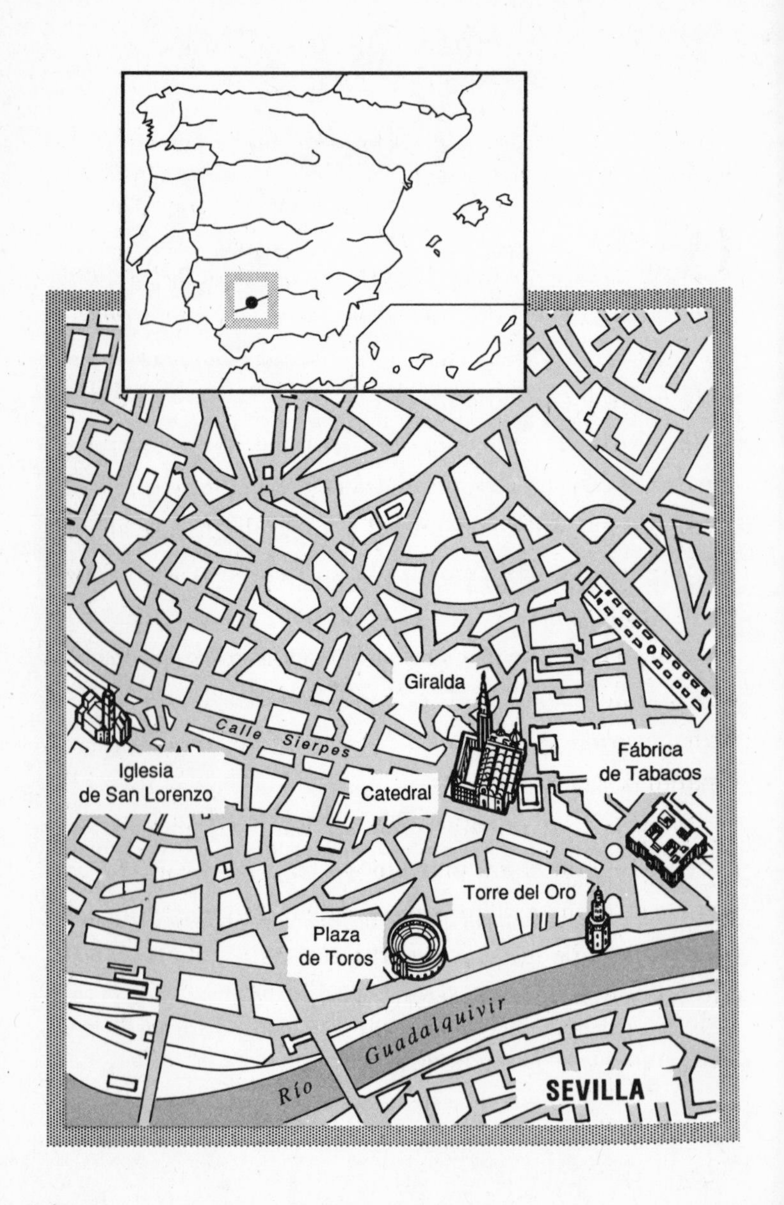
Giralda
Calle Sierpes
Iglesia
de San Lorenzo
Catedral
Fábrica
de Tabacos
Torre del Oro
Plaza
de Toros
Río Guadalquivir
SEVILLA

I

COMO todos los días de corrida, Juan Gallardo comió temprano. Un poco de carne asada fue su único plato y no quiso siquiera probar el vino. Bebió dos tazas de café muy negro y encendió un puro enorme.

Le gustaba, en los días de corrida, después de comer, quedarse un rato sentado y observar a la gente que iba y venía por el comedor del hotel. Así pasaba Juan Gallardo los momentos más duros, el largo tiempo hasta la hora de ir a la plaza.

Se quedaba en la mesa, con la cara entre las manos, observando a las señoras que pasaban a su lado y se volvían para mirar al famoso *torero, al rey de las plazas españolas.

Se veía a sí mismo como un hombre guapo y elegante. Todo en él era perfecto: su traje bien cortado; sus joyas caras; sus zapatos, que dejaban adivinar unos calcetines de seda; los suaves perfumes[1] traídos de Inglaterra que despedían sus ropas y su pelo...

---

* Las palabras marcadas con asterisco (*), están explicadas en el «Glosario taurino», páginas 108 a 111.

Poco a poco el comedor se llenaba de amigos del torero que querían ver al *diestro. Todos lo saludaban y le preguntaban por su familia. Él devolvía las preguntas:

–¿Y la familia de usted? ¿*Güena* también? Siéntese y tome *argo*.

La conversación seguía un rato. Los amigos del torero recordaban tiempos pasados, le daban buenos consejos, le hablaban de los toros de la tarde... Todos ellos venían de la plaza y habían visto *encerrar los animales. Esperaban mucho de esa corrida –la primera de la primavera– y también de Gallardo, el torero de moda en todas las plazas de España.

Tuvo otras visitas: un hombre con sus dos hijos pequeños; una vieja, madre de un antiguo *novillero, muerto en la plaza de Lebrija... El diestro miraba una y otra vez su reloj. Todavía era la una. ¡Cuánto tiempo faltaba para la corrida!... Gallardo puso un duro[2] en la seca mano de la vieja, que salió dando gritos de entusiasmo. Al oírla, entraron de la calle curiosos, vagos y chiquillos vendedores de periódicos.

Se defendió riendo de toda esta gente que lo empujaba. Les dio todas las monedas que llevaba en los bolsillos y, como pudo, escapó por las escaleras hacia su habitación.

Solo en su cuarto, sintió que llegaban los malos momentos, las últimas horas antes de ir a la plaza. Toros de

*Miura, toros *bravos, ¡y en Madrid! Nervioso, encendió otro puro con el anterior. Miró otra vez el reloj. ¡Qué lento pasaba el tiempo!

Buscó en el bolsillo de su chaqueta y sacó un pequeño sobre escrito con letra elegante. La carta estaba perfumada. ¡Qué maravilloso olor!

La carta no decía demasiado: «Mucha suerte en Madrid. Felicidades por el éxito seguro de la tarde». Si se perdía nadie podría pensar mal de la mujer que la firmaba. Empezaba con un amable pero formal «Amigo Gallardo» y terminaba con «Su amiga Sol».

Gallardo sonrió al leerla. Las palabras frías eran sólo para las cartas. Costumbres de gran señora.

–¡Lo que sabe esta mujer!... –dijo el diestro para sí.

Garabato, el *mozo de estoques, entró en la habitación a preparar la ropa del *maestro. Garabato era un antiguo compañero de Gallardo. Había comenzado en Sevilla, toreando en las *capeas al mismo tiempo que el diestro. Pero no tuvo suerte. Una *cornada le dejó una larga herida, un «garabato»[3] que le cruzaba la cara.

–¿Qué traje has *sacao*? ¡*Mardita* sea[4]! ¡Corrida en Madrid, toros de Miura, y me pones el traje rojo, el mismo que llevaba el pobre Manuel el Espartero[5]!

Una nueva visita entró en la habitación; un *aficionado de Bilbao, que venía a Madrid sólo para ver *torear a Gallardo.

–¿Qué traje saco? –preguntó Garabato.

–El verde, el tabaco, el azul..., el que quieras.

Llegó también el doctor Ruiz, un médico muy querido entre los toreros.

Mientras los dos hombres hablaban sobre la corrida, Gallardo se quitó el traje, quedando en ropa interior. Garabato afeitó por segunda vez al maestro y le arregló el pelo. Después le hizo cuidadosamente la querida *coleta.

El cuerpo fuerte del torero estaba lleno de antiguas heridas. Olía a carne limpia y poderosa, perfumada como la de una mujer.

Garabato se ocupó de los pies del maestro: puso algodones entre sus dedos y le envolvió los pies con más trozos de algodón. Después le colocó las medias blancas y, sobre ellas, otras de seda de color rosa. Gallardo eligió un par de zapatillas y metió en ellas sus pies. Ahora podía empezar a vestirse.

Después del rico traje de seda, tabaco y oro, y de la suave camisa, quedaba lo más complicado: la *faja de seda de algo más de cuatro metros. Sobre ésta iba el *chaleco y, encima, la *chaquetilla, pesada y con *luces. Se puso luego la *montera y finalmente el *capote. Gallardo se miró al espejo. No estaba mal... ¡A la plaza!

En el hotel, todos sus amigos lo despidieron con emoción y cariño:

–¡Mucha suerte! ¡Buena suerte, don Juan!

–¡*Grasias*, muchas *grasias!*

A la puerta del hotel lo esperaba, en un coche, su *cuadrilla. Cuando se marchaban hacia la plaza, oyeron gritos de entusiasmo:

–¡Olé los hombres valientes!... ¡Viva España!

Desde una hora antes, la calle de Alcalá parecía un río de coches, coches antiguos y modernos que salían de la ciudad en dirección a la plaza. Los toreros iban en coches abiertos. La gente, por las calles, volvía la cabeza para verlos y saludaba con el sombrero, feliz de reconocer a los toreros.

–Ése es Fuentes.

–Ése es el Bomba –gritaban.

–¡Mirad, por ahí viene Gallardo!

Al lado de Gallardo iba el Nacional, un *banderillero diez años mayor que él. Era famoso entre las gentes del oficio por su buen carácter y su entusiasmo político.

Un entierro cortó la calle, cruzando entre los coches. Gallardo se puso muy pálido.

–¡Mala suerte! ¿Cómo se puede traer un entierro por el camino de la plaza? ¡Hoy pasa *argo*!

Por fin, el coche pudo llegar a la plaza. También allí se levantaron gritos de entusiasmo. El torero entró en la capilla[6]. Pidió ayuda a la Virgen de la Paloma[7] y pensó en Carmen, su mujer, y en su madre, doña Angustias. Ahora él iba a ser bueno, iba a olvidar «lo otro»...

Aún con la emoción en los ojos, Gallardo fue a la *puerta de caballos. Allí esperaban en orden los toreros: primero los maestros; luego los banderilleros y, detrás, en sus caballos, los *picadores. Por encima de la puerta Gallardo podía ver una parte de la plaza. Era un cuadro brillante donde abanicos y papeles, movidos por manos alegres, aparecían como pequeñas manchas de colores. Los toreros estaban pálidos y graves. Pensaban en la arena, en las horas de peligro que los esperaban. La sombra de la muerte siempre cerca...

Se abrieron las puertas y los toreros pasaron de la sombra a la luz. Al pisar la arena, allí, bajo el sol que hacía brillar sus trajes, parecían pequeños muñecos de oro. La gente aplaudía[8], gritaba... Y la música rugía[9].

En la arena, los toreros se sentían otros. Todas sus preguntas habían quedado atrás. Ya pisaban el *redondel. Ya estaban delante del público. Llegaba la realidad.

Gallardo se movía como un hombre al que acompañan la fuerza y el éxito. Se sentía capaz de matar todos los toros de Andalucía y de Castilla. Sólo a él lo aplaudían, estaba seguro. Era el centro de todas las miradas.

Y, en verdad, todos esperaban de Gallardo hondas emociones. Porque a él le gustaba el riesgo. Nadie se acercaba a los toros como él, nadie jugaba tanto con la muerte. Todos creían que su destino era morir en la plaza. Por eso lo aplaudían con entusiasmo.

Gallardo fue a la puerta de caballos. Allí esperaban en orden los toreros: primero los maestros; luego los banderilleros y, detrás, en sus caballos, los picadores.

Gallardo se reía de los aficionados antiguos, que creían imposible una *cogida si los toreros seguían las reglas[10] para luchar con el toro. Él no era un torero «de reglas». Ni siquiera quería conocerlas. Para matar un toro sólo hacía falta ser valiente. Sus cuernos[11] no le daban miedo. «¡Peores cornadas da el hambre!» Y, así, había hecho una carrera rápida, ganándose al público con su fuerza y su amor al peligro.

Empezó la música y salió el primer toro. No era para él. Gallardo esperó el suyo, mirando con poco interés lo que pasaba en la arena.

Salió el segundo toro y Gallardo pareció llenar la plaza. Su capote estaba siempre cerca de la cabeza del animal.

Después de las *banderillas que puso el Nacional, tomó Gallardo la *muleta que le ofreció Garabato, su mozo de estoques.

–¡Olé el niño de Sevilla! ¡Ahora van a ver la verdad! –gritaban los aficionados.

Después de los gritos, un silencio profundo cayó sobre la plaza.

Lentamente, Gallardo abrió su muleta y se acercó hasta casi tocar el toro. Unos *pases. ¡Olé! Otros más. Toda la plaza gritaba entusiasmada.

Gallardo parecía borracho de peligro. Sintió que llegaba el momento. ¡Ahora...! *Entró a matar demasiado pronto y la bestia[12] cayó sobre él. Toro y torero chocaron con un fuerte golpe. Durante un momento fueron un solo cuerpo. Así marcharon juntos unos segundos: el hombre con un brazo y parte del cuerpo metido entre los cuernos; el animal bajando la cabeza e intentando alcanzar a ese muñeco de oro y colores.

El torero salió de entre los cuernos del toro casi cayéndose. El toro siguió su carrera hacia él. Sobre su ancho cuello casi no asomaba el *estoque, bien metido, profundo. De pronto, el animal se paró, se agachó hasta tocar la arena con la lengua y, finalmente, se acostó temblando en el suelo.

Todo el mundo aplaudía. Parecía que la plaza iba a caerse. La gente se ponía en pie, pálida. ¡El toro había muerto!... ¡Qué *estocada! Por unos segundos todos habían pensado que el maestro no iba a salir con vida. Ahora lo veían en pie y su sorpresa y entusiasmo eran enormes. Los sombreros de los aficionados volaban sobre la arena y llovían los aplausos [13].

Gallardo, desde la arena, saludó al *presidente de la plaza. El público gritaba, pidiendo la *oreja del toro para el diestro.

En la plaza la gente comentaba con pasión su *faena. Ahora, sin la emoción que todos habían sentido, los aficionados que preferían a otros diestros discutían: «Sí, Gallardo es un valiente, un loco... Pero aquello no es arte».

Los amigos del torero les contestaban furiosos. En alguna parte de la plaza la policía tuvo que poner orden.

Los demás toreros apenas despertaron la atención del público. Sólo las banderillas de Fuentes, uno de los *matadores, consiguieron grandes aplausos.

El quinto toro era también para Gallardo. El diestro entró en el redondel más valiente que nunca. La sorpresa de la gente fue enorme cuando vio que quitaba las banderillas al Nacional y que con ellas iba hacia la fiera[14].

–¡No! ¡No!

El doctor Ruiz gritó:

–Deja las banderillas, niño. Tú sólo sabes la verdad... ¡Lo tuyo es matar!

Gallardo no le hizo caso y se fue derecho al toro. El par estaba mal puesto y una de las banderillas cayó en la arena. Sin oír los gritos de la gente, que temía por su vida, Gallardo tomó otro par. Luego, repitió por tercera vez. La gente estaba loca de entusiasmo: «¡Qué hombre! ¡Qué valiente!»

De las seis banderillas, el toro se quedó con sólo cuatro y tan débiles que la bestia parecía no sentirlas.

–¡Está muy *entero! –gritaron los aficionados cuando vieron que Gallardo se preparaba para matar.

–¡Fuera todos! –gritó Gallardo.

Fuentes lo siguió, adivinando un peligro seguro.

–¡Déjeme usted, Antonio! –dijo Gallardo.

Se acercó al toro. Un pase. ¡Olé! –rugían los aficionados–. Pero el toro se volvió de pronto y cayó sobre el matador con tanta fuerza que hizo caer la muleta de sus manos.

Gallardo recogió la muleta y el estoque, arregló cuidadosamente el trapo rojo y se acercó de nuevo al toro. Los aficionados gritaban, temiendo otra vez por su vida:

–No, ¡no!... ¡Aaay!

Al *tirarse sobre el toro, el matador había quedado colgado de uno de los cuernos, como un pobre muñeco. La poderosa bestia lo tiró por fin a varios metros de distancia. Cayó el torero sobre la arena, como una rana[15] de seda y oro.

–¡Lo ha matado! –gritaba el público.

Pero Gallardo se levantó del suelo. Sonreía tranquilo. Volvió a coger los *trastos de matar. ¡O el toro o él! El torero veía rojo. Creía tener los ojos llenos de sangre. Escuchaba, como algo que venía del otro mundo, las voces de la gente. Sólo dos pases al toro y rápidamente, casi volando, se tiró sobre él, dándole la estocada que sus amigos llamaban «de relámpago». La bestia se tumbó con la cabeza en la arena hasta que llegó el *puntillero para acabar de matarla.

La plaza pareció volverse loca de entusiasmo. Hermosa corrida. Aquel Gallardo... ¡qué valiente! ¡El primer matador del mundo!

Cuando cayó el último toro, los muchachos saltaron al redondel. Marchaban detrás de Gallardo, siguiéndolo hasta la puerta de salida. Lo empujaban intentando coger su mano, tocar su traje... Por fin, lo cogieron por las piernas y lo subieron en hombros, llevándolo así por el redondel y los pasillos fuera de la plaza. Gallardo se dejaba llevar como un dios.

En el coche, todavía pálido pero sonriendo, empezó a hablar con el Nacional, que se interesaba por su cogida.

–No ha sido *ná*... A mí no hay toro que me mate.

Alegre y feliz, quitaba ahora importancia a sus miedos de la tarde.

–Son cosas que me pasan antes de la corrida. *Ná* importante.

En el hotel lo esperaba un grupo de aficionados y amigos. Todos querían darle un abrazo.

–Has estado muy bien..., pero muy bien.

Gallardo salió al pasillo para hablar con Garabato.

–Ve a poner un telegrama a casa. Ya lo sabes: «Sin novedad»[16].

Garabato contestó al maestro que él no podía. Tenía que ayudarle a desnudarse. Podían enviar el telegrama los empleados del hotel.

– No –dijo Gallardo–. Quiero que seas tú. Debes *poné* otro telegrama. *Pa* aquella señora, *pa* doña Sol. También «Sin novedad».

II

Cuando murió el señor Juan Gallardo, conocido zapatero[17] del barrio de la Feria, dejó a su viuda, doña Angustias, con dos hijos y sin ningún dinero.

La señora Angustias lloró mucho a su marido. Pensar que el pobre, en el hospital, ya muy enfermo, todavía le había gritado, como lo hacía siempre: «¡Olé!, ¡la primera hembra[18] del mundo!»... Aún así, con su muerte, se quitó un enorme peso de encima. En seguida preparó el camino que debían seguir sus dos hijos: Encarnación, que tenía ya diecisiete años, entró a trabajar en la Fábrica de Tabacos. Allí había trabajado ella cuando todavía era joven. Juanillo empezó a aprender el oficio con uno de los mejores zapateros de Sevilla.

¡Ay, aquel muchacho! Casi todos los días, en vez de ir a la tienda del zapatero, se iba al Matadero[19] con un grupo de amigos. Allí toreaban los bueyes[20] entre las risas de la gente.

Volvía Juanillo a casa lleno de golpes y con la ropa toda rota. Su madre lo recibía siempre con unas buenas bofetadas, pero al día siguiente se escapaba otra vez. Nunca iba a la tienda y la pobre señora Angustias, que pasaba el día trabajando para los demás, poco podía ocuparse del chico.

Por las tardes, Juanillo iba a la calle de las Sierpes. Allí pasaba las horas mirando con envidia a los toreros de verdad, que tenían su lugar de reunión en el bar La Campana. Eran toreros sin *contrata, pero todos tenían en su casa un traje de seda y oro.

El hijo de la señora Angustias ya tenía nombre para torear: el Zapaterín. Intentaba vestir como un torero: iba con viejos pantalones y camisas de su padre, todo arreglado por la señora Angustias, porque quería pantalones altos y anchos de pierna y las blusas tenían que ser muy cortas; llevaba al cuello un pañuelo rojo de su hermana y una gorra[21] en la cabeza. Sólo le faltaba una cosa, lo más importante: ¡una *capa!

De manera que, con la tela de un viejo colchón, el chico cortó un capote. Lo metió en un tinte[22] rojo, que él mismo había preparado, y lo puso a secar al sol. El viento, al mover el trapo, manchó de rojo las ropas blancas de las vecinas. El Zapaterín tuvo que recoger su capa maravillosa entre voces y gritos y salió corriendo con la cara y las manos rojas. Parecía que acababa de matar a alguien.

De nada servían los golpes de la señora Angustias. En La Campana, Juanillo recibía con entusiasmo los recados de sus compañeros:

–Zapaterín, mañana hay corrida.

Por las tardes, Juanillo iba a la calle de las Sierpes. Allí pasaba las horas mirando con envidia a los toreros de verdad, que tenían su lugar de reunión en el bar La Campana.

Los pueblos celebraban sus fiestas con capeas. Y los pequeños toreros marchaban allí de noche, con la capa al hombro en verano y envueltos en ella en invierno. Llegaban cansados y llenos de polvo. Se sentían muy felices si el alcalde los dejaba quedarse en la cuadra[23] del mesón y, además, les daba algo de comida.

En la plaza, la gente se divertía más con ellos que con los toros. Eran éstos bichos viejos, como castillos de carne. Los habían toreado ya durante muchos años y sabían todo lo que hay que saber de las corridas. Si alguno de los toreros venidos de Sevilla se escondía por miedo entre la gente, los chicos lo hacían salir a golpes:

–¡Anda ya, sinvergüenza[24]! ¡A darle la cara al toro!

Alguna vez sacaban de la plaza a uno de los «diestros» entre cuatro compañeros, pálido como el papel y con la cabeza caída. Si no veían sangre, le echaban un cubo de agua por la cabeza y luego le daban de beber aguardiente[25]. Más atenciones que a un rey.

Cuando acababa la corrida, cogían entre dos el mejor capote de la cuadrilla y con él pedían una propina. En el camino de vuelta cada uno cogía su parte, discutiendo muchas veces por ello. Luego, durante la semana, recordaban con entusiasmo sus pases maravillosos y las peligrosas cogidas.

El hijo de la señora Angustias sufrió una cogida en una capea. Volvió a casa cuando su madre ya lo había llorado, creyéndolo muerto. Llegó pálido y sin fuerzas, pero más contento que nunca. ¡El mismo alcalde había ido a verlo y hasta le había pagado el viaje de vuelta! Y aún guardaba tres duros para su madre.

Ya no volvió a la tienda. Quería ser torero, nada más que torero. Los consejos de su madre eran inútiles y la señora Angustias acabó por entenderlo. Ahora le daba la cena en silencio y, si llegaba cuando madre e hija ya habían cenado, Juanillo se quedaba sin comer.

Por las noches paseaba con jóvenes de mirada sucia y los vecinos lo encontraban por las calles charlando con personas de costumbres poco claras.

Trabajaba en cualquier cosa: vendía periódicos; en Semana Santa[26] llevaba caramelos a las señoras, que por ello le daban algún dinero; y, en los días de feria[27], se ofrecía para enseñar la ciudad a los extranjeros:

–¡Milord! ¡Yo, torero! –les decía–, y se quitaba la gorra para enseñar la coleta.

Su mejor compañero era Chiripa, un muchacho que pasaba todo el día en la calle. Tenía la cara cortada por una cornada que le dejó una gran herida. Era maestro en entrar a la plaza sin pagar y en viajar en tren sin billete.

Un día, en la calle de las Sierpes, un señorito[28] les dijo que debían ir a Bilbao. Allí no había tantos toreros como en Sevilla y el dinero era fácil de ganar. El hombre sólo quería reírse un rato de ellos, pero los dos amigos quedaron enteramente convencidos. Y, así, pocos días más tarde, dejaron su ciudad, sin una peseta en el bolsillo ni otro equipaje que sus capas.

Se subían a los trenes sin que nadie los viera y hacían todo el viaje debajo de los asientos. Muchas veces los descubría algún empleado que les daba buenos golpes y, agarrándolos de las orejas, los hacía bajar del tren. Cuando esto ocurría, esperaban en la estación el tren siguiente y repetían la aventura.

Subiendo y bajando de mil trenes, los dos muchachos consiguieron llegar hasta Madrid. Más lejos no pudieron ir, pero el viaje no fue inútil. Un empleado de Las Ventas[29], la famosa plaza de toros, les dejó ver una corrida de *novillos.

Volvieron a Sevilla como habían venido. Pero les había gustado el tren y siguieron viajando en él, siempre sin billete. Fueron a muchas capeas en Andalucía, La Mancha y Extremadura. Durante sus viajes, para calmar el hambre, más de una vez tuvieron que robar alguna gallina[30], comiéndose al pobre animal en medio del campo y de cualquier manera. Muchas veces, mientras dormían en el campo, cerca de alguna estación, llegaba hasta ellos la Guardia Civil[31]. Pero los guardias, cuando veían sus capas rojas, que usaban como almohadas, y las coletas asomando por las gorras, se marchaban sonriendo y los dejaban tranquilos.

Una tarde, en un pueblo de Extremadura, Juanillo y Chiripa decidieron poner banderillas a un toro viejo. El primero fue Juanillo. Cuando lo estaban felicitando dándole un poco de vino, oyó un grito horrible. Chiripa ya no estaba en el suelo. Sólo quedaban en la arena las banderillas, llenas de polvo, una zapatilla y la gorra. El toro se movía, llevando cogido de uno de sus cuernos un paquete de ropas, como un muñeco. El paquete se soltó, pero antes de caer al suelo fue alcanzado otra vez por el otro cuerno. Por fin cayó en el polvo y allí quedó tirado, sin moverse, lleno de polvo y sangre.

El pobre Chiripa fue a parar a una habitación, pequeña y oscura, que servía de cárcel. Su cara había perdido el color, sus ojos ya no brillaban y su cuerpo estaba rojo de sangre. Así lo vio Juanillo por última vez:

–¡*Adió,* Zapaterín! –suspiró su amigo–. *¡Adió, Juaniyo!* –y ya no dijo más.

El viaje de vuelta fue como un mal sueño. Juanillo veía en todas partes la cara pálida de su amigo, oía su triste adiós. Tenía miedo. Pensaba en su madre y en sus consejos. ¿Tal vez lo mejor era ser zapatero y llevar una vida tranquila?...

Pero el miedo que sintió en esos primeros momentos, desapareció cuando llegó a Sevilla. ¡Torero, nada más que torero! Matar toros o morir. Y nada de ir como banderillero sirviendo a otro: matar toros desde el principio. El quería ser rico, salir en los periódicos y oír los saludos de la gente por las calles. Todo menos el hambre...

Juanillo tuvo su cuadrilla, una cuadrilla de chicos pobres que lo seguían por ser el más valiente y el mejor vestido. Sus dieciocho años y su belleza morena le hacian atractivo para algunas mujeres de vida alegre. Peleaban entre sí por ocuparse del joven, por comprarle trajes. También lo ayudaba un señor, un hombre mayor con mucho dinero, al que la señora Angustias odiaba por gustarle demasiado ir con toreros jóvenes y guapos.

El Zapaterín era ya matador. Había matado toritos con éxito en plazas pequeñas. En una ocasión lo invitarón con sus compañeros a La Rinconada, un cortijo[32] muy rico con una pequeña plaza de toros. Después de verlo torear, el dueño lo invitó a comer en su mesa mientras sus compañeros se quedaban en la cocina con los empleados del cortijo. Además, le pagó el viaje de vuelta a Sevilla. En la estación, mientras se despedía de él, le dijo:

–Zapaterín, tú irás lejos si no te falta el *corasón.* Puedes torear.

Juanillo pensó que empezaba para él una nueva vida. Recordaba las enormes tierras de La Rinconada. Llegar algún día a tener algo parecido, ése era su sueño.

Los aficionados hablaban ya de él en Sevilla. En una corrida de novillos hasta apareció en el cartel[33] con el nombre de Juan Gallardo.

Todo el barrio de la Feria asistió a la corrida. No faltó tampoco la gente de la Macarena y los demás barrios populares. ¡Un nuevo matador de Sevilla!... El entusiasmo fue enorme. No hubo entradas para todos.

En la plaza gustó tanto que la noticia de su éxito llegó a su casa antes que él. La gente seguía el coche en que volvía el torero gritando y aplaudiendo. Los vecinos que no habían ido a la corrida salían de sus casas a saludarlo. Uno de los que más aplaudían era su cuñado, un hombre serio, enemigo de la gente vaga, y que nunca había querido al muchacho. Pero había ido a la plaza y estaba lleno de entusiasmo:

–Aquí lo tienes, Encarnación –le decía a su mujer–. Ni el mismo Roger de Flor[34] lo hubiera hecho mejor.

La señora Angustias no podía creer que ése fuera su Juanillo.

–¡Ay! ¡Cómo me gustaría que te viera el pobre de tu padre!

No dejaban de hablar de Gallardo. Según su cuñado, Juanillo era buenísimo: «¡Mejor incluso que Roger de Flor!» Iba a ser mejor que todos los toreros de Córdoba, tierra de famosos matadores.

Su vida cambió completamente. La empresa de la plaza de toros lo buscaba. Ahora era famoso, y no sólo en Sevilla, sino en toda Andalucía. Antonio, su cuñado, quería ser su *apoderado. Pensaba en sus cinco hijos: ¡Quizá el día de mañana todo el dinero que Juan iba a ganar acabaría por ser de sus sobrinos! Gallardo toreó en Madrid con éxito e hizo muchos amigos. Aún no había tomado la *alternativa, pero el público lo veía ya como el gran torero que iba a sorprender a todos.

La familia de Gallardo vivía ahora en una casa mucho mejor, aunque siempre en el mismo barrio. Su madre ya no tenía que trabajar. Juan se compró un caballo –el sueño de todo torero– y con él paseaba por la ciudad. La gente lo saludaba por las calles y los señoritos se paraban a hablar con él.

Llegó el día de la alternativa. Un famoso torero le dio los trastos de matar, la *espada y la muleta, y la plaza entera vio cómo echaba abajo su primer toro «formal». El éxito lo acompañaba en Sevilla, en Madrid, en toda España...

Antonio, su cuñado, veía con disgusto que Juan ya tenía apoderado. Un tal don José al que había conocido poco antes. Un hombre que no era de la familia.

–Ya le pesará. Familia no hay más que una. ¿Quién se va a preocupar por él más que yo? A mi lado iba a estar como el mismo... y no seguía porque la cuadrilla ya se había fijado en cómo repetía el nombre famoso, y banderilleros y aficionados se reían de él.

Juan le pidió que se ocupara de la nueva casa que se estaba haciendo: una gran casa con patio de preciosos azulejos[35], levantada donde su padre había tenido su tienda.

Pero el marido de su hermana no fue feliz por mucho tiempo: Gallardo tenía novia. Se llamaba Carmen y era una antigua compañera de juegos. Después de un largo tiempo sin verla, se encontró con ella un día del Corpus[36], día de gran fiesta en Sevilla. Juan se quedó muy sorprendido. Carmen había cambiado mucho. Aquella niña pequeña, tan feíta y tan delgada, era ahora una joven guapa y atractiva. Sólo había algo en lo que no había cambiado. Carmen seguía teniendo los mismos ojos de gitana, enormes y negros.

Llegó el día de la boda. Los novios se casaron en San Gil, ante la Virgen de la Esperanza[37], llamada de la Macarena. Al tener noticia de tan famosa boda, vinieron pobres de los pueblos vecinos hasta la puerta de la nueva casa, por fin terminada. Los novios dieron dinero a todos. En el patio de la casa nueva hicieron una gran fiesta. Por la noche, hasta muy tarde, los músicos tocaron la guitarra y la gente bailó sin descanso. ¡Dios sabe cuántas botellas de vino abrieron aquella noche! Cuando por fin se fueron los últimos invitados, los novios se quedaron solos con la señora Angustias. Antonio, el cuñado, se marchó furioso:

–Nos echan, Encarnación. Esa niña va a ser la dueña de todo. Vas a ver cómo se llenan de hijos.

A los tres años de su boda, Gallardo sufrió una cogida en Valencia. Carmen tardó en saberlo. El telegrama «Sin novedad» había llegado a su hora, como siempre.

Pero se equivocaba. Pasó el tiempo y esos hijos no venían. La señora Angustias echaba la culpa a las corridas, que tenían a Carmen muerta de miedo. Nunca asistía a ninguna. No quería ver a Juan torear.

¡Ay, esos días de corrida!... La pobre Carmen iba de la iglesia de San Gil, a la de San Lorenzo, siempre rezando[38] por su marido... Luego recibía el telegrama que le devolvía la calma por unas pocas horas...

A los tres años de su boda, Gallardo sufrió una cogida en Valencia. Carmen tardó en saberlo. El telegrama «Sin novedad» había llegado a su hora, como siempre. Don José, el apoderado, lo había enviado para que ella no sufriese. Cuando Carmen supo la noticia quiso ir a buscar a su marido. Pero no fue necesario. Gallardo volvió a su casa antes de que Carmen pudiese hacer nada. El torero volvía alegre y tranquilo para animar a su familia.

El doctor Ruiz se sorprendía de su buen aspecto y de lo pronto que se había curado:

–No lo entiendo. Debes de tener carne de perro.

Poco tiempo después, Gallardo volvió a torear...

Un año más tarde, el *espada dio a su mujer y a su madre una sorpresa. Iban a ser dueños de un gran cortijo, como los señores ricos de Sevilla. Lo que él había querido tener siempre: muchas tierras cerradas a los demás.

–Un cortijo grande como un mundo. Se llama La Rinconada.

III

TODAS las noches de invierno, cuando Gallardo no estaba en La Rinconada, había reunión en su casa después de la cena. Asistían a ella, además de la familia del torero, Sebastián el Nacional, don José, el apoderado, y otros amigos. Cuando llegaba el Nacional con sus ideas políticas, la conversación se animaba:

–Garabato, dale a Sebastián una copa de vino.

Pero él no quería vino. El vino era el culpable de todos los problemas de la clase obrera. El vino y la falta de instrucción[39]. Sebastián no sabía ni leer ni escribir. Tampoco había llegado lejos en el mundo del *toreo. Era sólo banderillero. Hablaba de su oficio con pena:

–Eso de los toros... La gente necesita como el pan *sabé leé* y *escribí* y no está bien que se gaste tanto dinero en nosotros cuando falta tanta escuela.

Era muy querido entre todos sus compañeros, aunque siempre lo hacían centro de sus bromas:

–¿Qué? ¿Cómo marcha «eso» de la República[40]?

Carmen, la mujer del matador, también lo quería mucho. El Nacional era hombre prudente, que vigilaba a su marido en los ambientes de bailes y cantaoras[41].

El único que no se reía con las cosas del Nacional era Antonio, el marido de Encarnación. Antonio odiaba al banderillero. Veía en él a un enemigo. Sí, el Nacional venía a llevarse el dinero que debía ser para sus hijos.

Al Nacional tampoco le era simpático ese muerto de hambre, siempre pegado a su maestro. Aguantaba las bromas de todos menos las suyas.

A todas horas y en todos los lugares hablaba de política y religión. Sus ideas enfadaban a más de uno:

–¿La Biblia?... «¡Líquido!»[42] ¿Lo de Adán y Eva?... «¡Líquido!» ¿Lo que cuentan los curas?... «¡Líquido!»

Pero el enemigo de los curas y de Adán y Eva guardaba un secreto que le hacía estar serio y grave en casa de Gallardo. Un secreto que ya muchos conocían en Sevilla: los amores del torero con doña Sol, la sobrina del marqués[43] de Moraima.

–*Juaniyo,* el hombre *casao* no debe buscar más mujer que la de su casa... ¡Las mujeres...! «¡líquido!» Todas son iguales. Yo llevo veinticuatro años *casao* con mi Teresa y en todo este tiempo nunca he *estao* con otras. Y yo también soy torero... Antes también tuve mis *güenos* días...

Gallardo se reía de las palabras de su amigo. Hablaba como un cura. ¿Y era él el que odiaba a la Iglesia?

–Nacional, no seas bruto. Cada uno es quien es. Y si las hembras vienen, déjalas venir. ¡*Pa* lo que vive uno! Además, ¡no sabes qué mujer!...

El Nacional lo miraba en silencio.

–Además –siguió diciendo el torero–, yo quiero mucho a Carmen. La quiero como siempre. Pero a la otra la quiero también. Es otra cosa... No sé cómo explicártelo. Otra cosa, ¡vaya!

Meses antes, en la iglesia de San Lorenzo, Gallardo la había visto por primera vez.

Era otoño, un momento del año en el que no hay corridas, y el maestro estaba solo en su casa de Sevilla, descansando allí unos días antes de ir a La Rinconada con su familia.

Como muchas tardes, salió para dar un paseo por la ciudad. Otros días solía acercarse al club de «los Cuarenta y cinco», un club muy elegante donde ricos aficionados y hombres poderosos –entre ellos el marqués de Moraima– se daban cita para hablar de toros.

Pero aquel viernes, cuando iba a la calle de las Sierpes, Gallardo sintió ganas de entrar en la iglesia de San Lorenzo. Lo mejor de Sevilla iba ese día a rezar al Señor del Gran Poder[44]. Señoras elegantes entraban en la iglesia, con traje negro y rica mantilla[45].

Gallardo entró, pues, tras ellas. Un torero debe siempre buscar la ocasión para acercarse a la gente de clase alta. Y además, él creía en el Jesús del Gran Poder. Dios era para él solamente una idea, algo que no se podía ver ni tocar... Pero la Virgen de la Esperanza y el Jesús del

Gran Poder eran otra cosa. Los había visto desde niño y nunca dejaba que el Nacional hablase mal de ellos...

Dentro de la iglesia una mujer llamó su atención. Era alta, hermosa, y vestía con colores claros. Llevaba un gran sombrero y su pelo brillaba como el oro.

Era doña Sol. Sus ojos claros se pasearon por la iglesia hasta encontrarse con los de Gallardo.

El torero la esperó fuera de la iglesia. Quería verla otra vez. Sentía lo mismo que en la plaza, cuando repetía los pases a pesar del peligro. Doña Sol miró al torero antes de subir a su coche y cuando éste empezó a andar, volvió la cabeza con una ligera sonrisa.

Don José, el apoderado, conocía su historia. Doña Sol... podía tener la edad de Gallardo. Había vivido años en países extranjeros y, aunque nacida en Sevilla, había vuelto pocos meses antes con ganas de conocer bien las costumbres de Andalucía. Original, inteligente, rica, viuda de un embajador[46] mucho mayor que ella. Hablaba distintos idiomas. Hacía deporte y sabía luchar con la espada. También era aficionada a la música y ahora tomaba clases de guitarra con «El Lechuzo», un gitano viejo. Había vuelto locos a muchos hombres. La gente decía de ella tantas cosas...

A los pocos días, don José dijo a Gallardo que doña Sol los invitaba a los dos a Tablada: doña Sol quería que asistieran a un *derribo de reses.

Y allí fueron. Ante la casa de doña Sol esperaban los demás invitados: un grupo de señoritos, parientes y amigos, contentos de que Gallardo fuera con ellos. En seguida se unió al grupo el marqués de Moraima.

Más tarde apareció doña Sol. Presentándose ella misma a Gallardo, le dio la mano:

–Encantada de conocerlo.

–¡*Grasias!* ¿La familia *güena*?

Gallardo adivinó que había dicho una tontería, pero ya todos los jinetes[47] empezaban a andar. Siguieron un buen rato por la orilla del Guadalquivir[48].

Al llegar a Tablada, vieron su viejo castillo y sus casas blancas entre las manchas grises de los campos de olivos. A lo lejos, aparecía Sevilla y la maravillosa Giralda[49], de un color rosa suave bajo la luz de la tarde. Mucha gente había venido para ver el derribo.

¡Hermosa *ganadería la del marqués! Los toros estaban en un lugar cerrado, en medio del campo, y en él entraron los jinetes. Primero iba el marqués con un amigo. Un toro negro se fue del grupo y los dos jinetes corrieron detrás de él. El marqués ganó distancia y acercándose al toro con la *garrocha por delante, lo hizo caer en seguida. ¡Olé los viejos!

Después le llegó el turno a doña Sol. El marqués quiso acompañarla pero ella prefirió ir con Gallardo, porque era torero.

A lo lejos, aparecía Sevilla y la maravillosa Giralda, de un color rosa suave bajo la luz de la tarde. ¡Hermosa ganadería la del marqués!

Salió un animal blanco, con manchas, de enorme cuello y peligrosos cuernos. Doña Sol corrió tras él, intentando hacer lo mismo que su tío, pero la fiera, que era toro viejo, se volvió de repente. Doña Sol no pensó en escapar, por miedo a las risas de sus amigas. Paró el caballo y se quedó frente al toro, con la garrocha bajo el brazo, como un picador. Consiguió clavar[50] la garrocha en el cuello del animal pero éste bajó la cabeza, metió los cuernos debajo del caballo y lo levantó en el aire. Doña Sol cayó al suelo entre los gritos de la gente que estaba viéndolo todo desde lejos.

El caballo, cuando pudo escaparse de los cuernos, salió corriendo como loco, lleno de sangre. El toro fue detrás pero algo le llamó la atención: era doña Sol, que se había levantado y, con más miedo al ridículo que a la muerte, venía hacia él con la garrocha bajo el brazo. La gente, asustada, no podía ni hablar.

Ya bajaba el toro la cabeza para ir contra doña Sol cuando algo rojo pasó delante de él: Gallardo había cogido su chaqueta y se había acercado a la bestia.

–No tenga miedo, doña Sol. Éste ya es mío, dijo el torero, pálido de emoción pero sonriendo.

Gallardo, olvidando a doña Sol y a todos, toreó a la fiera hasta cansarla. Luego, lentamente, fue hasta su caballo. Un gran grito se levantó saludando su éxito. Volaban los sombreros a su alrededor y llovían los aplausos.

Al verlo llegar hacia ella, doña Sol dio las gracias al torero cogiéndole la mano con fuerza.

Unos días después, el apoderado fue a buscar a Gallardo. Lo convenció de que debía ir a ver a doña Sol: desde lo que había pasado, ella esperaba su visita.

Don José acompañó a Gallardo. Éste miraba sorprendido los salones, los muebles antiguos, las extrañas alfombras y los cuadros de la casa de la señora, cuadros oscuros de santos. Siempre había creído que muchas de estas cosas sólo se encontraban en las iglesias.

Doña Sol los recibió envuelta en seda. Al mover sus manos, brillaban piedras de todos los colores de los extraños anillos que llenaban sus dedos. Durante la conversación, ofreció a los dos hombres unos cigarrillos que dejaban un raro perfume:

–Tienen opio[51]. Son muy agradables.

Gallardo empezaba a sentirse menos tímido. Contestando a las preguntas de la hermosa mujer, hablaba y hablaba de sus primeros tiempos de toreo, de sus sueños de niño pobre. Doña Sol lo escuchaba con interés.

–¡El primer hombre del mundo! decía don José, encantado de explicar a la señora qué fuerte y qué valiente era su matador. Un héroe[52] de verdad.

Ella los invitó a cenar. Don José no podía quedarse: esa noche tenía a dos amigos en su casa. Pero Juan no debía marcharse.

El espada tenía miedo a no saber qué hacer. Le daba vergüenza su traje, sus maneras... Pero se quedó.

Para la cena, doña Sol se había cambiado de vestido, y, muy elegante, comía y bebía alegremente frente a Gallardo. Éste fue ganando confianza poco a poco y el champaña que sirvieron con el postre acabó de alegrarlo.

Después de cenar, ella se sentó a tocar distintas canciones andaluzas, despertando el entusiasmo del torero.

Pasó a música más seria y empezó a cantar con voz profunda. Echó la cabeza hacia atrás, suspirando con emoción. Soñaba despierta con el hombre fuerte y hermoso que la había defendido valientemente de la horrible fiera. Se imaginaba a su héroe levantándose del sofá. Ya sentía sus manos sobre sus hombros y sus besos de fuego.

Mientras, el pobre Gallardo luchaba por no dormirse, pues nada entendía de esa clase de música.

Doña Sol dejó de cantar. Él se puso de pie:

–*Güenas* noches, doña Sol. Usted ya debe de estar cansada.

Sin saber lo que hacía, ella le dio la mano... ¡Grande y tímido como un héroe! No podía ser...¿Ir ella a él? Entonces, vio los ojos del espada, sus ojos negros que la miraban con sorda pasión.

–No te vayas... Ven... ¡Ven!

Y no dijo más.

IV

GALLARDO sentía por el marqués de Moraima un cariño casi de hijo. Se sentía además como pariente de todos esos señoritos que veía en los clubes de las clases altas; sí, como parte de esa familia tan importante. La razón de todo este cambio se debía a sus amores con doña Sol.

Porque no era el mismo de antes: pasaba por los cafés de la calle de las Sierpes con un «¡ahora vuelvo!» y no volvía. Se quedaba en un club elegante hablando, y sobre todo, jugando con sus nuevos amigos. Jugaba y perdía.

Poco a poco don José consiguió meter a su amigo en los mismísimos salones de «los Cuarenta y cinco»; y no era fácil para un torero entrar en este club.

Allí siempre empezaban hablando del tiempo: aunque muy ricos, todos eran hombres de campo y se preocupaban por la falta de lluvia. Luego se ocupaban de lo que en verdad les interesaba: los toros. ¡Qué ganadería tenía el marqués! ¡Y qué cuidados con los animales!

–Son lo mismo que nosotros... ¡Qué digo, como nosotros! Los hay que valen más que una persona.

¡Lo que decían «los Cuarenta y cinco» de los enemigos de las corridas!... ¡Qué tonterías había que oír por ahí sobre los toros! ¡Errores de extranjeros para los que era lo mismo un buey de matadero que un toro de corrida!

Cuando Gallardo entró en «los Cuarenta y cinco», un nuevo asunto ocupaba la atención de estos señores. Allí, como en toda Sevilla, todos hablaban con preocupación del Plumitas, un bandido[53] que robaba a los ricos y ayudaba a los pobres.

–Él *mejó* día se te presenta en La Rinconada, decía el marqués de Moraima a Gallardo, con buen humor.

–¡*Mardita* sea! Pues no me divierte, *señó marqué.*

Él era un valiente matando toros y en la plaza se olvidaba de la vida, pero los ladrones, y los ladrones como ése, que ya había matado a varios hombres, eran otra cosa.

Había enviado a su familia a La Rinconada y él vivía en su casa de la ciudad, solo con Garabato, llevando una vida de soltero. Así podía ver libremente a doña Sol. La señora y él salían a caballo, a veces con don José, para ver los toros en los campos. También salían a *tentar toros jóvenes, o iban a la estación de El Empalme, desde donde, en tren, salían toros hacia toda España.

Doña Sol miraba, curiosa, este lugar. Hombres a caballo usaban el engaño para encerrar a unas fieras que sólo conocían el campo abierto. Los toros llegaban en loca carrera y los vaqueros[54] los conducían a un lugar cerrado. Empezaba entonces el *encajonamiento: empujándolos hacia una estrecha callejuela, los hacían entrar a cada uno en un cajón con ruedas y dos puertas; el toro se metía por una de ellas, al ver la luz del campo por la otra, que estaba abierta también. En ese momento caían las dos puertas, y el animal ya estaba listo para viajar en esa cárcel con ruedas.

Doña Sol asistía al encajonamiento con toda su pasión. Quería hacer lo mismo que los vaqueros. Le gustaba cruzar a caballo los campos, sintiendo detrás peligrosos cuernos capaces de darle muerte.

Gallardo estaba loco por ella. Pero no entendía sus cambios de carácter, su falta de confianza, sus extraños juegos. A veces, cuando llegaba a casa de ella, le decían que no estaba, y él adivinaba que era mentira.

–Ya no vuelvo más. Esta mujer no se ríe más de mí.

Pero volvía, y doña Sol lo recibía cariñosa, con una luz rara en los ojos. Entonces Gallardo olvidaba todos sus disgustos.

–¿Por qué te perfumas? Yo quiero que huelas a toro, que huelas a caballo...

Una noche Gallardo sintió cierto miedo oyendo hablar a doña Sol y viendo su loca mirada. Quería ser toro, le dijo, y le dio fuertes golpes, como cornadas. Después, quiso ser un perro y clavó sus dientes en el brazo del torero. Éste se echaba atrás, negándose a que una mujer le pudiera hacer daño. Otras veces, después de momentos muy felices, le echaba de su casa.

–Márchate, decía. Necesito estar sola. Ya sabes que no puedo aguantarte. Ni a ti ni a nadie.

Una preciosa tarde, al principio de la primavera, doña Sol y Gallardo volvían de una *tienta con otros jinetes. El sol caía con un rojo de incendio sobre el verde del campo. El río brillaba como un espejo de oro. Ellos iban muy juntos. De repente, doña Sol le preguntó al torero:

–Di: ¿no has matado nunca a ningún hombre?

Gallardo, en su sorpresa, casi se asustó. ¡Quién! ¿Él? Nunca. La vida de las personas era una cosa muy seria. No, él había seguido su carrera sin hacer daño a nadie.

Desapareció el sol y se apagó el río. Doña Sol perdió todo su interés por el campo que tanto le había gustado antes. Le empezó a parecer oscuro y pobre, y sin decir una palabra a Gallardo, se fue con los demás jinetes.

Para la Semana Santa, volvió la familia a Sevilla. El espada iba a torear en la corrida de Pascua[55]. Estaba preocupado, porque era la primera vez que mataba delante de doña Sol después de conocerla. Además, no quería corridas en Sevilla, donde tenía los aficionados más entusiastas pero también los mayores enemigos.

El *encierro se hizo el Sábado Santo a la una de la mañana. Don José no lo dejó asistir. El matador tenía que descansar.

Un jinete hizo antes todo el camino desde Tablada: se paraba en las casas donde había luz, para decir que el encierro iba a pasar en seguida. Todo quedaba apagado y en silencio. Arriba, sobre los árboles, brillaban las estrellas, pero abajo en la tierra misma, lejos, se levantó un ligero ruido que fue cada vez más fuerte, hasta hacer temblar el suelo. ¡Ya venían! Iban a llegar.

Pasaron primero unos jinetes, tan rápido que la gente apenas los pudo ver. Luego, un grupo de *garrochistas aficionados, entre los que estaba doña Sol. La calle se llenó de un furioso ruido de metales. Y las fieras pasaron como un mal sueño, dando cornadas a las sombras. Eran lo mejor de la ganadería del marqués.

A la mañana siguiente, Gallardo se levantó temprano. Había dormido mal. En otras ciudades vivía como un soltero, en una habitación de hotel. Pero ponerse el traje de *lidia en su habitación y salir al peligro desde aquella casa que él había levantado era muy distinto. Le preocupaba. Le parecía que iba a matar un toro por primera vez.

Gallardo salió al patio, que a esas horas estaba fresco y lleno de luz. Una mujer que no conocía estaba fregando el suelo: sólo tenía un ojo. Esto no podía traer peor suerte. Gallardo corrió a la cocina, llamando, furioso, a la señora Angustias. ¿Quién era esa horrible mujer? Su madre, al verlo tan enfadado, intentó explicarle que era una mujer muy pobre que ayudaba en la casa; tenía muchos hijos y necesitaba dinero. Había que tener buen corazón.

Y sin tardar, sorprendiendo a la gente, Gallardo se tiró como un relámpago sobre la fiera: el animal y el hombre fueron un solo cuerpo por algunos momentos.

El torero aceptó las explicaciones de su madre: él también había sido pobre.

A pesar de todo, siguió preocupado. Cruzó el patio de espaldas para no ver «aquello» otra vez y fue a la biblioteca. Allí, abrió un libro, algo que Gallardo no hacía nunca. ¡Huy! ¡El bicho! ¡El maldito bicho! También fue mala suerte, coger un libro por hacer algo, y en la primera página encontrarse con una serpiente[56]. Lo devolvió a su sitio sin más.

Miró, con muy mala cara, la cabeza de un toro que tenía colgada en la pared. ¡Qué mala tarde le había hecho pasar aquella fiera!

Sin embargo, la corrida fue un éxito para Gallardo.

En la hermosa plaza de Sevilla, él, borracho por los aplausos, por el sol... y por la vista de una mantilla blanca y un pecho azul entre la gente, se sintió capaz de las mayores cosas.

Por orden del diestro, el Nacional llevó su segundo toro hasta el sitio donde estaban el traje azul y la mantilla blanca. Al lado de doña Sol estaban el marqués y sus hijas. Gallardo iba a *brindar su toro a la sobrina del marqués. Quería matar bajo los ojos de doña Sol. Cada pase de muleta iba acompañado de gritos de entusiasmo. Y sin tardar, sorprendiendo a la gente, se tiró como un relámpago sobre la fiera: el animal y el hombre fueron un solo cuerpo por algunos momentos. Luego, el toro dio una corta carrera con la lengua colgando. El rojo puño del estoque apenas asomaba del cuello del animal. Éste cayó en seguida y la gente se puso de pie aplaudiendo y gritando. ¡No había un valiente igual que Gallardo!...

El espada saludó abriendo los brazos, mientras las manos de doña Sol, bajo sus guantes blancos, chocaban con la fiebre del aplauso.

Luego, algo pasó de mano en mano desde el sitio de doña Sol hasta Gallardo: era un pañuelo de la señora, rico y perfumado, metido en un precioso anillo que regalaba al torero a cambio de su *brindis. La atención de la plaza se fijó en doña Sol: muchos celebraban su belleza a gritos. El matador le envió la oreja del toro, aún caliente.

En su casa, el cuñado hablaba del éxito de Gallardo. Desde hacía tiempo quería cierto empleo y pensaba conseguirlo gracias a los amigos del torero.

–Enséñales el anillo. ¡Qué regalito! ¡Ni el mismo Roger de Flor!

Sólo Carmen lo miró con disgusto: «Sí, muy bonito». Y lo pasó rápidamente a su cuñada.

Después de esta corrida volvieron los viajes. Gallardo tenía que torear en todas las plazas de España. Iba de éxito en éxito.

En los días de descanso, volvía su recuerdo a Sevilla. En ocasiones, llegaba para él alguna de aquellas cartitas perfumadas. ¡Ay, por qué no estaba con él doña Sol!

En su carrera de una ciudad a otra, los entusiastas le organizaban fiestas con vino y mujeres. De esas fiestas siempre salía triste y con la mente nublada por el alcohol. Odiaba a esas mujeres con las que había estado.

Se acordaba de doña Sol. Necesitaba hablar de ella con el Nacional, aunque el banderillero nunca había aceptado esos amores.

Doña Sol se fue al extranjero: playas elegantes, viajes por Inglaterra, óperas en Alemania... Quizás no iba a volver a Sevilla. ¡No verla más! Entonces, ¿para qué los aplausos de la gente?, ¿para qué poner su vida en peligro y ser famoso?

El espada volvió a Sevilla al acabar el verano. Su familia estaba en Sanlúcar por la salud de los sobrinos: les habían recomendado el mar.

Gallardo tembló de emoción cuando, un día, su apoderado le dijo que doña Sol acababa de llegar. Nadie la esperaba. El espada fue a verla inmediatamente, pero a las pocas palabras la sintió fría. No era la misma. Ya no lo tuteaba[57]: ella siempre le había llamado de tú, como los grandes a los inferiores. Él, nunca.

Doña Sol decía encontrar aburrida la vida de Sevilla y hablaba de marcharse. Gallardo volvió a visitarla: siempre igual, siempre guardando distancias.

En una ocasión, Gallardo le comentó una excursión que debía hacer a La Rinconada. Tenía que ver los nuevos trabajos realizados en el cortijo. La idea de acompañar al espada hizo sonreír a doña Sol. ¡Ir a La Rinconada, donde la familia del torero pasaba la mayor parte del año! No podía ser más imprudente ni más interesante. Ella iba también.

Gallardo sintió miedo. Pensó en las gentes del cortijo, en lo que iba a decir su familia, en Carmen. Pero quizá todo volvería a ser como antes con doña Sol...

–¿Y el Plumitas? Mire usted que, según parece, anda cerca de La Rinconada.

¡Ah, el Plumitas! La cara de doña Sol brilló con una luz nueva. Eso acabó de decidirla.

Gallardo arregló el viaje. Buscó a Potaje, el picador y al Nacional. Así no irían solos. Además, un grupo grande era lo mejor en caso de encontrar algún problema en el camino.

–Y que un padre de familia se vea metido en esas cosas... –protestó el banderillero.

Pero al oír hablar a doña Sol en el coche, al buen hombre se le fue pasando el disgusto. Sí, era muy hermosa. Pero sobre todo, ¡qué conversación! ¡cuántas cosas sabía!

¡La instrucción! Una gran cosa. A una persona con instrucción se le podían perdonar los mayores defectos.

V

QUE te diga quién es. ¡*Mardita* sea!

El Nacional escuchó lo que acababa de decir su maestro por la puerta de la habitación. A su vez, se lo contó a un empleado del cortijo que esperaba en la escalera.

–Que te diga quién es. Sin eso, el amo no se levanta.

El hombre corrió al camino frente al cortijo. Lo vieron a lo lejos hablar con un jinete. Volvió otra vez, y otra vez el banderillero llamó a la puerta de Gallardo.

–¡Es el Plumitas, *señó*!

–Pero ¡*mardita* sea! ¿Qué me quiere ese hombre?

Gallardo, que con la prisa sólo se había puesto los pantalones y la chaqueta, bajó las escaleras corriendo, seguido del Nacional.

El jinete estaba a la entrada del cortijo; ya se había bajado del caballo. Los empleados lo miraban a corta distancia.

Era más bien bajo que alto, rubio, con cara de luna llena. Su sombrero y sus ropas estaban gastados por el sol, la lluvia y el barro. Parecía más gordo por la pistola que llevaba en el cinturón. En la mano derecha tenía, además, una carabina[58]. Iba sin afeitar. Pero en su cara redonda, tranquila, sólo sus ojos azul oscuro hacían dudar de sus intenciones.

–*Güenos* días nos dé *Dió, señó* Juan.

–*Güenos* días.

–¿La familia *güena, señó* Juan?

–*Güena, grasias.* ¿Y la de usted?

–Creo que *güena* también. *Hase* tiempo que no la veo.

Potaje, el picador, se unió al grupo, lentamente, con los ojos aún pesados por el sueño.

–¿Cómo estás, Plumitas?

El bandido, sorprendido, levantó la carabina. Pero sus ojos azules, al fijarse en el picador, parecieron reconocerlo. Sí, lo había visto en la plaza de Sevilla. Los dos se miraron con cara que quería ser simpática.

–¿Puedo comer aquí?

Gallardo respondió como un gran señor:

–Nadie que viene a La Rinconada se va sin comer.

Sacaron vino y vasos. Gallardo se acercó al Nacional: debía ir a la habitación de doña Sol y pedirle que no bajase. El Plumitas y Potaje hablaban de caballos, hasta que el bandido preguntó al espada por las corridas que aún le quedaban en el año:

–Yo soy «gallardista»[59], ¿sabe usted? Yo lo he visto en *Seviya,* en Jaén, en Córdoba..., en muchos sitios.

Gallardo estaba sorprendidísimo. Pero ¿cómo podía él, tan buscado por los guardias, asistir tranquilamente a las corridas? El Plumitas sonrió. Él hacía lo que quería. Iba a todas partes. Había visto tantas veces al espada camino del cortijo... Y sabía que el torero, en algunas ocasiones, llevaba mucho dinero encima. El Plumitas podía haber usado la carabina, como con un señor rico de Córdoba. Pero con Gallardo, no era lo mismo:

–Usted no es de los ricos. Usted es un pobre como yo, pero con más suerte... Lo quiero porque es un *mataor de vergüensa*[60], y a mí me gustan los hombres valientes.

Doña Sol apareció entonces, cortando la palabra a Plumitas con su llegada.

El torero se disgustó al verla. Pero, ¿no le había dado su recado el Nacional?

Sí, se lo había dado, pero ella no podía quedarse sin conocer al Plumitas. Había pasado gran parte de la noche pensando en el bandido. Casi podía verlo: alto, delgado, vestido elegantemente de negro y con ancho sombrero sobre el pañuelo rojo.

Con emoción sus ojos buscaron por la cocina. Al entrar, vio a un hombre de campo que se ponía en pie, un hombre igual a los que había encontrado muchas veces en las tierras de su familia.

–*Güenos* días, señora. ...¿Y su *señó* tío el *marqué*, sigue *güeno*?

Las miradas de todos le hicieron adivinar la verdad. ¡Ay! ¿Éste era el Plumitas?

Doña Sol preguntó si había matado a muchos hombres. El Plumitas se puso serio. No quería hablar de eso. Él sólo se defendía de los demás: no era un bruto, sabía leer y escribir, y de muchacho había ayudado al cura en la misa. Aquí el Nacional se sonrió: ¡antes ayudando al cura, y ahora, bandido! ¡Qué cosas más extrañas! Le llamaban «Plumitas» por quitar plumas[61] a las gallinas para escribir...

Empezaron a comer, todos en la misma mesa. Potaje servía vino a Plumitas pero el bandido bebía muy poco: el vino es malo para el que tiene que vivir muy despierto, siempre en peligro. Se había sentado frente a la puerta para poder ver la entrada del cortijo y el camino y no soltaba la carabina. Sin embargo, al acabar de comer tenía más calor en la cara, los ojos más alegres y también más ganas de hablar.

–Cada uno sabe su *ofisio, señó* Juan. Los dos vivimos de *matá.* Usted mata toros y yo personas... Usted sabe dónde darle al toro *pa* que venga al suelo en seguida. Yo sé dónde darle a un hombre *pa* que caiga muerto o *pa* que viva unas cuantas semanas o sólo...

Por eso, el bandido había venido a visitar a Gallardo. Porque el matador y él eran como compañeros. Los dos podían morir en el momento menos pensado, uno en el camino y otro en el redondel. Gallardo, pálido, daba la razón al Plumitas.

Éste seguía contando sus aventuras. A lo mejor había matado a unas treinta personas. Él no servía para matar toros, y por eso había matado a personas. Lo mejor que puede hacer un pobre para abrirse camino.

Potaje, ya borracho, decía que sí, pero el Nacional no pensaba lo mismo:

–El pobre lo que *nesesita* es instrucción.

No. Para el bandido, eso no servía para nada: lo que el pobre necesita, es que le den lo suyo; y si no se lo dan, que se lo tome. Gallardo y él, los dos tan valientes, podían haber ganado tierras, como el mismísimo Pizarro[62], un pobre como ellos. Y podían haber sido casi reyes, al otro lado de los mares... Pero habían nacido tarde. Ya no quedaba dónde ir.

El Plumitas se despidió con gran pena de Potaje. Nunca estaba tanto tiempo en una casa, y no era por miedo a los guardias. Ésos eran también padres de familia y no tenían muchas ganas de encontrarse cara a cara con el temido bandido. De quien tenía miedo el bandido era de los pobres, que podían venderlo por unas pesetas. O de ciertos jóvenes aficionados, que querían ponerse en su sitio. ¿Verdad que entre los toreros, eran peores enemigos los novilleros que los mismos toros?

El bandido ya había subido a su fuerte caballo. Gallardo fue a darle unos billetes pero el bandido no quiso cogerlos.

–*Grasias, señó* Juan. Eso es *pa* los otros... Usted y yo somos compañeros. Ya me brindará algún toro.

Doña Sol se quitó una rosa que llevaba en el pecho, y se la dio en silencio. El bandido, sorprendido y encantado, la tomó como si pesara mucho:

–¿Es *pa* mí? preguntó con una sonrisa que hacía parecer su cara aún más ancha. En la vida me ha *pasao ná* igual.

Y diciendo adiós a todos los demás, especialmente a Potaje, se marchó del cortijo.

Gallardo, contento al ver que se iba, miró a doña Sol. ¡Qué señora tan loca! Suerte que el Plumitas era feo y andaba sucio. Si no, era capaz de irse con él.

VI

PARECE mentira, Sebastián. Un hombre como tú, con mujer y con hijos, metido en esas cosas... ¡Yo te creía distinto y ponía toda mi confianza en ti cuando salías de viaje con *Juaniyo*...!

El Nacional, asustado por las palabras de la madre de Gallardo y por el dolor de Carmen, que lloraba en silencio, se defendía como podía:

–Señora Angustias, yo fui a La Rinconada porque me lo mandó mi *mataor*. El *mataor* manda, y hay que obedecer. Usted ya lo sabe, ser de una cuadrilla es peor que ser soldado...

–¡Serás tonto! ¡*Güeno* estás tú con todas esas historias! Entre todos estáis matando a esta *pobresita*, que se pasa el día llorando. ¡Tú lo que quieres es *tapá* las cosas feas que hace mi hijo, porque te da de *comé*!

–Usted lo ha dicho... Pero póngase en mi caso. Que me dice mi *mataor* que hay que ir a La Rinconada... *Güeno*. Que me encuentro en el coche con una señora muy guapa... Y yo ¿qué voy a *haser*?

El banderillero intentó convencerlas con más disculpas: la señora era la sobrina del marqués, y «gallardista».

Además, en el cortijo no había pasado nada: el torero y la señora se hablaban de usted, y cada uno pasó la noche por su lado; ni una mala mirada, ni una palabra fea...

–*Caya,* Sebastián, y no mientas –dijo la vieja–. Lo sé todo. Una *vergüensa,* el viaje al cortijo. Hasta *disen* que estuvo con vosotros Plumitas, el ladrón.

El Nacional se asustó de verdad. Eso sí que había que negarlo con todas las fuerzas:

–«¡Líquido!» ¡Todo «líquido»! ¿Qué habla usted del Plumitas? Hombre, ¡solamente me faltaba eso! ¡Yo amigo del Plumitas!

Con trabajo consiguió convencer a la señora Angustias de que esta última noticia era falsa pero ésta seguía enfadada. ¡Es que lo otro! ¡El viaje al cortijo con aquella hembra!

Pero Carmen, que había dejado de llorar, empezó entonces y repetía una y otra vez lo mismo. Lo sabía todo desde hacía tiempo: desde el día en que Juan le brindó un toro a aquella mujer y él vino con el anillo. Ellos, además, no se habían escondido, no. Habían ido a todas partes como marido y mujer. Todos los habían visto a caballo de un sitio para otro. Y esto no era la primera vez que ocurría: después de casados, Juan había ido con muchas mujeres. Pero nunca con una como ésa, una señora que, además, desaparecía sin despedirse de él, como ahora, porque se aburría en Sevilla.

–Yo tengo gentes que me lo cuentan todo... Y ahí lo tiene usted, triste como un *cabayo* enfermo... Apenas nos hablamos, lo mismo que si no nos conociéramos. Yo estoy sola arriba, y él en una habitación del patio. Antes se lo aguantaba todo... Pero ahora no quiero ni verlo.

Estaba pálida, hablaba con fuerza, casi sin mirar al Nacional. ¡Cómo había cambiado Gallardo por culpa de esa mujer! Ahora sólo quería ir con señoritos ricos, y los que antes fueron sus amigos, todos los pobres de Sevilla que lo habían ayudado cuando empezó, lo sabían. Cualquier día iban a organizarle un jaleo en la plaza... Y otra cosa. Jugaba mucho, y perdía mucho también. ¿Qué iba a pasar, si algún día tenía una desgracia? ¡Ay! Juan debía haber seguido en su oficio, y ser zapatero.

Cuando, unas horas más tarde, el Nacional se encontró a Gallardo en la calle le dijo:

–No vuelvo a tu casa Juaniyo. Antes, me hago cura. Siguió hablando al espada de la pena que sentía Carmen, pero éste recibió mal los consejos. El viaje de doña Sol le había dejado sentimientos amargos.

–¡*Mardita* sea mi suerte!... ¡Ojalá me coja *un miura el domingo!...

Su madre, furiosa, le decía que se callara.

El domingo era la última corrida del año para Gallardo. Al contrario que otras veces, pasó la mañana animado, esperando contento la hora de irse. Su arte, ésa era la única verdad. Ni familia, ni amores. Cuando llegó el coche, cruzó el patio sin preocuparse. Carmen no apareció. ¡Bah, las hembras! Sólo servían para dar problemas. Sin embargo, allí estaba su cuñado, muy elegante con un traje nuevo, regalo del matador.

–Vas más hermoso que el mismo Roger de Flor, le dijo el espada alegremente.

Lo invitó, cosa rara, a subir en el coche con él. El cuñado se sentó junto al gran hombre, temblando de emoción.

La plaza estaba llena. Había más entusiasmo hacia Gallardo en la parte de la sombra, entre los blancos sombreros; la plaza que estaba en mangas de camisa, donde quemaba el sol, lo aplaudía mucho menos. Él adivinaba el peligro: si tenía una mala tarde, toda esa parte, en la que estaban sus antiguos amigos, se levantaría contra él.

En su primer toro, no mató a la primera. Aplaudieron las gentes de la sombra y protestaron los del sol:

–¡Niño litri[63]...! ¡Aristócrata[64]!

Gallardo saludaba a sus amigos de ahora, vuelta la espalda a la parte de la plaza donde protestaban.

Cuando tomó por segunda vez los trastos de matar, dio orden al Nacional para que con la capa llevase al toro hacia la parte de los que protestaban. El pueblo recibió esta atención con alegre sorpresa. Pero la fiera, al quedar sola a este lado de la plaza, se tiró contra un caballo

En su primer toro, no mató a la primera. Aplaudieron las gentes de la sombra y protestaron los del sol:
–¡Niño litri...! ¡Aristócrata!

muerto. Metió la cabeza en el cuerpo, levantándolo sobre sus cuernos igual que un trapo, para luego soltarlo y dejarlo de nuevo en la arena manchada de sangre.

Gallardo iba a llamar al Nacional para que se llevara de allí al toro; era difícil matarlo, molestaba el cuerpo del caballo. En ese momento oyó una voz conocida:

–*Güenas* tardes, *señó* Juan... Aquí estamos. ¡Vamos a *aplaudí* la verdad!

Vio muy cerca una cara muy bien afeitada, con un sombrero metido hasta las orejas: era Plumitas.

¡Bajar a Sevilla, meterse en la plaza, sin el caballo y la carabina, todo por verlo matar toros...! De los dos, aquel hombre era el más valiente. Para el Plumitas debía ser el toro. Sonrió al bandido, y gritó a la gente, pero con los ojos puestos en Plumitas:

–¡*Vaya por ustedes!

La plaza, contenta ya con su torero, le aplaudía los pases como siempre. ¡Olé!

Tenía que tener cuidado. El toro estaba muy entero y quería volver al caballo muerto. Preparó la espada para entrar a matar, pero en el mismo momento, creyó que la tierra temblaba, que la plaza se venía abajo y que todo se volvía negro: un horrible dolor le corrió por todo el cuerpo, y no sintió más.

El toro se había tirado sobre Gallardo. No le clavó los cuernos, pero el golpe fue horrible. La fiera, que sólo veía al caballo, sintió entre sus patas aquel cuerpo de seda y oro, lo levantó por segunda vez y lo tiró a gran distancia. Luego quisó volver hacia él por tercera vez.

¡Lo iba a matar! Un grito de toda la plaza rompió el silencio. Una capa apareció entre la fiera y el torero caído: era el Nacional, que se echaba sobre el toro para dejar libre a su maestro. El banderillero, al que a veces decían que era demasiado prudente, ahora estaba metido entre los cuernos del animal. Corría de espaldas, moviendo la capa, sin saber cómo escapar pero contento al ver que el toro se olvidaba del herido.

Por fin consiguió salir en un momento en que el toro bajaba la cabeza. La capa quedó colgada de los cuernos.

Con la emoción del peligro, la gente aplaudió al banderillero más que nunca. Para el Nacional, fue uno de los mejores momentos de su vida. Mientras, Gallardo salía del redondel, con la cabeza caída, llevado por toreros y empleados de la plaza. Un gran número de personas se acercó a la enfermería[65]. Al ver al Nacional, todos lo felicitaban, pero él quitaba importancia a lo que había hecho: Todo... «¡líquido!» Lo interesante era el pobre Juan, que estaba dentro, luchando con la muerte.

Ya por la noche, lo llevaron a su casa. Entre los que querían ayudar, un hombre del campo, rubio, de cara ancha, preguntó al marqués por el torero. Y los dos hablaron con pena del pobre Gallardo y de sus graves heridas.

Al llegar a la casa de Gallardo, oyeron en el patio y en la calle los gritos de dolor de las vecinas y amigas de la familia, que creían ya muerto a Juanillo. Metieron al espada en la cama, envuelto en trapos rojos de sangre. Sólo le quedaba una media, color rosa. Las ropas interiores estaban rotas en unos sitios y cortadas en otros por las tijeras. La coleta caía tristemente sobre su cuello.

Al sentir una mano entre las suyas, el torero abrió los ojos: era Carmen, tan pálida como él. Todos los malos tiempos parecían olvidados. Era la Carmen de siempre, queriéndolo como siempre.

Pasado el primer momento, los médicos parecían más optimistas. Las noticias no eran buenas, pero Gallardo no iba a morir. Era tan fuerte... pero quizás le iban a quedar problemas para andar.

Don José, el apoderado, gritaba. ¡Problemas para andar! Imposible. Él mismo llamó en seguida al doctor Ruiz, antes de que lo pidiera Gallardo.

El médico llegó por la mañana desde Madrid. Nada más ver a Gallardo, explicó que la cogida era grave, pero que no iba a quedarse inútil. Podría volver a los toros dentro de algún tiempo.

–El torero que no muere en la misma plaza –dijo–, casi puede decir que se ha salvado.

El dolor había cambiado a Carmen. Ella se creía culpable de la cogida, y así se lo repetía al Nacional. La pobre mujer se quedaba día y noche junto a la cama del herido, cogiéndole la mano.

La habitación de Gallardo era lugar de reunión por donde pasaban los aficionados más famosos de la ciudad. Las botellas de vino para las visitas asomaban entre las medicinas del enfermo.

El doctor Ruiz, el apoderado y el banderillero acompañaban hasta altas horas de la noche a Gallardo. Las más de las veces era el doctor el único que hablaba. Su conversación era siempre sobre los toros.

Solía dar una interesante explicación sobre la historia del toreo: no era un atraso[66] de tiempos pasados, como decía el Nacional. Con el toreo, se hicieron más suaves las fiestas, que antes eran fiestas de muerte. Antes del siglo XVIII, los hombres se divertían matando toros. Y también iban a ver otras cosas, cosas horribles, como los autos de fe[67], donde los hombres eran quemados vivos. Pero todo cambió: cuando se acabaron las aventuras en Flandes y América, empezó el arte del toreo, con plazas para torear y cuadrillas de toreros de profesión. El pueblo encontraba en las corridas una salida para los valientes.

A los diez días de su llegada a Sevilla, el doctor Ruiz volvió a Madrid. Gallardo ya no lo necesitaba. Al mes siguiente, ya estaba sentado el torero en un sillón del patio, y allí recibía a sus amigos, aunque todavía se sentía débil y la pierna le molestaba.

La señora Angustias quiso que su hijo fuera a rezar a la Macarena, para dar gracias a la Virgen. Esa mañana fue una fiesta para todo el barrio de San Gil.

Una idea llenaba los pensamientos del espada: doña Sol. ¿Conocía su desgracia? Preguntó a su apoderado y éste le contó que a los tres días del accidente había recibido un telegrama de ella. Pero Gallardo se sentía olvidado. Preguntaba tantas veces que el apoderado tenía que mentir: doña Sol escribía a su familia, y siempre había en sus cartas unas palabras para Gallardo.

Don José daba consejos a su matador. Debía volver a torear en la próxima primavera. Sí, pensaba el torero, volvería al redondel. Tenía muchos meses para ponerse bien, y echaba de menos los aplausos.

Había decidido pasar lo que quedaba del invierno en La Rinconada. Pero, antes, la señora Angustias quiso que su hijo fuera a rezar a la Macarena, para dar gracias a la Virgen por haberse curado de la horrible cogida.

Esa mañana fue una fiesta para todo el barrio de San Gil. La iglesia se llenó de flores. Las mujeres de la familia del torero, con mantilla y largas faldas de seda negra, entraron delante de Gallardo; él iba detrás, con toreros y con amigos, todos vestidos de colores claros. Estaba serio. Se acordaba poco de Dios en los momentos difíciles, pero ahora iba a darle gracias a la Santísima Macarena.

Cuando salió de la iglesia, iba el espada, sonriendo, alto y hermoso, dando el brazo a su mujer, que temblaba de emoción y bajaba los ojos. Carmen creyó que acababa de casarse por segunda vez.

VII

Al llegar Semana Santa, Gallardo dio a su madre una buenísima noticia: iba a salir en la procesión[68] de la Macarena.

En años anteriores, él salía en la procesión de la iglesia de San Lorenzo, pues tenía mucha fe[69] en el Jesús del Gran Poder. Además, era la cofradía[70] de los señores, donde todo estaba bien organizado; no había jaleo como en las cofradías de gente más baja. Los que salían en esta procesión no podían hablar. Cuando en la noche del Jueves Santo[71] el reloj daba el segundo golpe de las dos de la mañana, abrían las puertas de la iglesia y aparecían dibujados en la luz del interior los oscuros nazarenos[72], callados, sin otra vida que la de sus ojos brillando a través de las negras caperuzas[73]. Acompañaban a Jesús del Gran Poder en su largo camino hasta que los sorprendía el sol. También, en la misma procesión, salía la Virgen del Mayor Dolor, rodeada de luces. Su rico vestido, de muchos metros de tela, colgaba detrás del paso[74].

Sin embargo, este año decidió salir con los de la Macarena, con los de la Virgen de la Esperanza. Doña Angustias estaba feliz: bien se lo debía a la Virgen por haberlo salvado en la última cogida. Además, así iba a estar en la procesión de los que eran como ellos, iba a salir con la gente sencilla.

–Cada uno con los suyos, *Juaniyo*...

Gallardo no quería hacer pública la noticia, pero a los pocos días nadie hablaba de otra cosa en el barrio. ¡Y qué hermosa iba a salir este año la Señora!

–Habrá que *ve* a la Macarena. La señora Angustias va a *llená* el paso de flores. Y *Juaniyo* va a ponerle a la Virgen todas sus joyas...

El Jueves Santo por la noche, después de oír con su mujer el Miserere[75] en la catedral, Gallardo volvió a casa para vestirse de nazareno. Cogía sus ropas con los mismos cuidados que un *traje de luces. Medias de seda, zapatos negros, larga ropa blanca, y sobre ésta, la alta caperuza verde que caía casi hasta el suelo. Se puso unos guantes blancos y cogió el bastón[76] de rico metal cubierto de tela verde.

En las blancas paredes de las casas, las luces dibujaban sombras y colores de fuego. Gallardo se encontró a los «armados», los soldados romanos de la Macarena, que se preparaban con su «Capitán Chivo» a la cabeza. Era éste un «cantaor» gitano que vivía en París, donde trabajaba con sus hijas, bailando ellas y él cantando en los teatros. Pero al llegar la Semana Santa, venía a Sevilla para conducir a su gente de armas. Lo primero era el deber. Y, ya en la procesión, veía a sus muchos amigos que le ofrecían vasos de vino. Siempre terminaba borracho. Cada año decía que no, que esta vez iba a ser distinto. No iba a beber nada, ni él ni su gente. Pero después, pensaba que por un poco de vino no pasaba nada. Y en seguida, empezaban a faltar soldados que hacían sus paradas en las tabernas[77], mientras la procesión seguía lentamente.

Primero salió de la iglesia de San Gil el paso de la Sentencia de Nuestro Señor Jesucristo, y después el de la Virgen.

Cuando la gente vio en la calle a la Macarena, el entusiasmo llenó la plaza. Pero ¡qué bonita era la gran Señora!

Sus maravillosas ropas, colgando por detrás del paso, recordaban la cola de un hermoso pájaro, enorme, elegante. Brillaban sus ojos de cristal y brillaban también las joyas sobre el oro del vestido. Parecía mojada por una lluvia de luz. Todos enviaban sus joyas para el paseo de la Macarena.

Gallardo, con la cara tapada y llevando el bastón, iba delante, al lado de otros nazarenos. La música triste acompañaba sus pasos. Las «saetas», las tristes canciones con que la gente acompañaba a la Virgen y a su Hijo, ponían en la noche sus notas de dolor.

Pero era inútil: el aire ligero de la primavera, con perfumes de jardín, olor a naranjo[78], a flores de patios y

Cuando la gente vio en la calle a la Macarena, el entusiasmo llenó la plaza. Pero ¡qué bonita era la gran Señora! Parecía mojada por una lluvia de luz.

balcones, lo envolvía todo. El río seguía suspirando, y la luna sonreía a la tierra, encantada con los perfumes de la noche. Nadie podía pensar en la muerte.

–¡Olé la Macarena! ¡La primera Virgen del mundo!...

A veces se encontraban dos cofradías, y acababan peleándose para pasar primero. En algunas ocasiones hasta tenían que venir los guardias. Y seguía la procesión: «¡Aquí no ha *pasao ná*! ¡Viva la Macarena!»

Aquella noche no se dormía en Sevilla. El Nacional, a la puerta de un café, observaba con toda su familia el paso de la cofradía. «¡Mentira y atraso!» Pero él venía todos los años a ver a los de la Macarena ocupar la calle de las Sierpes.

–*Juaniyo*, que se pare el paso. Hay en el café unas señoras extranjeras que quieren ver bien a la Macarena.

El paso se paró. Entonces se oyó una música alegre, y los que lo llevaban, empezaron a bailar y a hacer bailar a la Virgen.

–¡Que venga a ver esto toda *Seviya*! ¡Esto es lo *güeno*!

Gallardo dejó la procesión poco después de salir el sol. Debía descansar, el domingo de Pascua tenía corrida: la primera después de su desgracia.

El sábado y la mañana del domingo, recibió muchas visitas de aficionados. Por un momento, olvidaron los toros para comentar una noticia que corría por toda la ciudad. Cerca de Córdoba, en la montaña, la Guardia Civil había encontrado un hombre muerto. Era imposible reconocerlo: había recibido un tiro[79] en la cara. Pero sus ropas, la carabina..., todo hacía creer que era el Plumitas. ¡Pobre hombre! No le habían matado los guardias: había sido uno de «los suyos», uno que quería ocupar su sitio. Lo había matado mientras dormía.

El torero salió hacia la plaza menos animado que otros días. Suspiraba con preocupación.

El Nacional iba enfadado en el coche. Ese domingo era día de elecciones[80], y la gente no había hecho caso. La gente sólo hablaba del Plumitas y de la corrida de toros. Don Joselito, un maestro al que el Nacional escuchaba siempre encantado, estaba en la cárcel por protestar, y como él, otros compañeros «de la idea». ¡Y él tenía que ir vestido de luces, en vez de acompañarlos en la desgracia!

–¡Todo atraso! ¡Falta de *sabé leé* y *escribí*!

El público recibió a Gallardo con grandes aplausos que también llenaron la plaza cuando llegó el momento de matar su primer toro.

Pero el torero colocó el trapo rojo a cierta distancia: a la gente le pareció extraño. No era costumbre en él. Luego, lo vieron torear sin acercarse demasiado. ¿Qué era aquello?

Sus amigos hablaban de la pierna herida en la cogida anterior, pero los «inteligentes» sonreían: este muchacho ya no era como antes, un torero valiente.

Y Gallardo entró a matar. Una, dos veces... El Nacional intentaba ayudar a su maestro: hacía correr al toro y le daba golpes a la espada para que entrara más en el cuerpo del animal. La plaza contestaba llamando cosas feas al banderillero. De pronto, la fiera empezó a echar sangre por la boca. Tuvo que venir el puntillero.

Su faena con el segundo toro tampoco fue alegre ni valiente. La plaza seguía protestando. El espada fue contra el toro y le metió una estocada que lo hizo caer como un animal en el matadero. Unos aficionados aplaudieron, otros gritaron enfadados, y la mayor parte se quedó en silencio.

¡Qué diferente de otras veces fue la salida de la plaza! ¡Qué mal se sentía Gallardo! Sólo al llegar a su casa y sentir en el cuello los brazos de su madre, de su hermana y de Carmen se quedó un poco más tranquilo. Lo importante era vivir y estar con la familia.

Los días siguientes fue a las reuniones de sus viejos amigos. Luego entraba en «los Cuarenta y cinco», donde don José, su buen apoderado, lo defendía con el entusiasmo de siempre.

Volvió a jugar. Y a perder.

Una noche lo llevaron a la taberna de Eritaña. Unas extranjeras de vida alegre habían venido a la Semana Santa y a la Feria, y querían conocer a Gallardo. En la taberna había un comedor en medio de un jardín y allí se comía, se bebía, se bailaba, todo entre risas y besos. Las extranjeras sólo miraban a Gallardo. Él, como los demás, acabó borracho, pero muy triste. Estas mujeres le recordaban a la otra. ¡A la otra!

Cuando Gallardo llegó a su casa, quiso convencerse de que seguía siendo el primer torero del mundo. Vio sus recuerdos... Y vio aquella cabeza de toro colgada en la pared. Ese toro, que años atrás le había hecho pasar momentos difíciles en el redondel, todavía parecía burlarse de él.

–¿Y aún te ríes? ¡*Mardito* tú y la vaca que te trajo al mundo!

Abrió un cajón de su mesa. Levantó una mano hacia la cabeza del toro: ¡Pum...!¡Pum...!...Dos tiros de pistola. Saltó el cristal del ojo. Y en la frente del animal quedó un agujero redondo y negro.

VIII

La primavera estaba siendo mala en Madrid. Las lluvias, el frío, y también la nieve, hacían retrasar las corridas. Los aficionados miraban al cielo. ¡Triste país! ¡Hasta las corridas eran imposibles!

Gallardo llevaba dos semanas esperando en el hotel y su cuadrilla protestaba: en Madrid, los matadores no pagaban el hotel a sus hombres. Era una mala costumbre: se daba por seguro que los matadores tenían casa en Madrid. Y los pobres banderilleros y picadores estaban en hoteles baratos, ahorrando café y cigarrillos.

Gallardo no había tenido suerte en su primera corrida de Madrid. La gente sabía lo ocurrido en Sevilla, y los aficionados se habían vuelto agresivos, pidiéndole más que a ningún otro torero. Seguía teniendo amigos, pero lo defendían tristemente, con menos calor que antes.

Pasaba mucho tiempo en el Café Inglés, donde iban los que seguían a los toreros andaluces. En ciertos cafés de la Puerta del Sol no entraba nunca: allí defendían otra manera de torear, esperando siempre que saliera un nuevo torero de Madrid; no tenían ninguno desde los tiempos de Frascuelo[81].

Se acercaban a Gallardo chicos que estaban empezando. Le contaban sus aventuras: siempre estaban sin dinero, recibiendo a veces unas pesetas de las señoritas inglesas o alemanas que sacaban a los niños de buena familia por el Paseo de la Castellana. Ellas, locas por tener un novio torero, les pedían como regalo su capa. Un regalo que no llegaba nunca.

Una tarde, casi de noche ya, el espada vio con sorpresa a una señora rubia que bajaba de un coche, a la puerta de un hotel próximo al suyo. ¡Doña Sol! Un hombre que parecía extranjero le daba la mano para ayudarla. Luego se despidió, y ella entró en el hotel.

Gallardo no dudaba de lo que había entre el extranjero y ella. Así le había mirado y sonreído a él muchas veces, en otros tiempos. ¡*Mardita* sea!

No había podido olvidarla. Habían pasado muchas cosas desde entonces: su cogida, Carmen, tan cerca de él... habían calmado su dolor, pero olvidarla, nunca. Debía ir a verla.

Pero, no. Ella se había ido. No iba él a correr detrás.

La lluvia y el frío seguían haciendo brillar los coches y las calles.

Cambió de opinión. ¿Por qué no ir? A lo mejor cambiaba también la suerte. En la plaza era menos valiente desde que lo había dejado doña Sol. ¿Y si ella volvía, y volvían también los tiempos felices?

Se fue Gallardo a aquel hotel. Tuvo que esperar más de media hora en un sofá hasta que lo condujeron a un saloncito del primer piso. Desde los balcones veía la Puerta del Sol oscura, los techos de las casas negros, los paraguas y los coches tapando la calle.

Por fin apareció doña Sol, igual que la primera vez en su casa, vestida de seda y con un fresco perfume de carne rubia.

–¿Cómo está usted, Gallardo?

«¡Usted!» Le llamó de «usted», igual que a un amigo corriente.

Doña Sol, amable pero muy fría, le explicó que lo había visto en la primera corrida de Madrid. Había venido con un amigo extranjero que quería conocer las cosas de España, pero vivía en otro hotel. Le preguntó sin mucho interés por su cogida.

Estaba claro que las desgracias del torero no le importaban en serio. Eran accidentes naturales de su oficio. Gallardo le habló del Plumitas y de su muerte. Sí, lo había leído en los periódicos, tal vez en París. Pero apenas se acordaba de él.

–Sí, sí, lo recuerdo... Era un hombre de campo sin interés. De lejos se ven las cosas de otra manera.

Gallardo habló de la emoción con que el bandido había guardado la flor regalada por doña Sol. ¿No se acordaba...?

–¿Está usted seguro? ¿Es cierto eso? ¡Ay, aquella tierra de sol! ¡Las tonterías que una hace!

Doña Sol ahora reía, pensando en la flor. ¿Así que encontraron aquella flor seca, al lado del pobre muerto, sin que nadie lo pudiera explicar? Tenía que contárselo a su amigo. Podía interesarle.

–¡Doña Sol!... ¡Doña Sol!

–¿Qué pasa, amigo mío? –preguntó ella sonriendo.

Gallardo se quedó un momento con la cabeza baja. Luego le preguntó a doña Sol dónde había estado, quién era ese amigo. Ella contestó secamente, siempre distante.

–¡Doña Sol! ¿Por qué se fue sin decir nada?

–No se ponga así, Gallardo. Lo que hice fue mejor para usted... Me fui porque me aburría.

–¡Pero yo la quiero!

–Yo no le quiero a usted, Gallardo. Es sólo un amigo, y nada más. Lo otro, lo de Sevilla, fue un sueño loco...

El torero se levantó. No sabía cómo convencerla. Intentó cogerla entre sus brazos pero se encontró con una doña Sol agresiva:

–¡Quieto, Gallardo! Si sigue así, no será mi amigo y lo pondré en la puerta.

Al ver la cara tan triste del pobre Gallardo, le dio un poco de pena y pasó a hablarle más suavemente:

–No sea niño... Usted tiene a su mujer que, según me han dicho, es hermosa y sencilla. Y si no la tiene a ella, tendrá a otras. Lo mío se acabó. Yo me aburro en seguida y no vuelvo nunca sobre lo anterior.

Ella miraba por los cristales el cielo triste, la lluvia, la plaza mojada, los paraguas. Luego volvía su vista al espada. Estaba fuera de su ambiente. Desde luego, en Sevilla era otra cosa. Allí había podido sentir amor por aquel hombre; se había visto en peligro de morir bajo los cuernos de un toro; había comido con un bandido, al que acabó regalando una flor. ¡Ay, los países de sol!

De todo esto, sólo quedaba aquel hombre que le pedía con ojos de niño triste repetir aquellos momentos.

–Todo se acabó, dijo la señora. Hay que olvidar lo pasado. Al volver a España, la encuentro otra. Este país ha cambiado. Usted también es diferente. Sí, me pareció distinto el otro día, en la plaza.

¡*Mardita* sea! Ahora Gallardo pensaba que su mala suerte con los toros era por culpa de doña Sol. Ella le había traído la desgracia.

Ella se levantó. Él también tuvo que hacerlo. Doña Sol tenía que ir con su amigo al Museo del Prado. Lo invitó a comer otro día, pero con su amigo, que quería ver de cerca a un torero. Así lo despidió.

¡*Mardita* sea! Se acabó... No volvería a verla.

IX

En aquellos días recibió Gallardo varias cartas de don José y de Carmen.

El apoderado parecía dudar del torero; por primera vez, su fe ciega en «el primer hombre del mundo» parecía romperse. Seguía dándole los mismos consejos: «derecho al toro y ...¡Zas! ya es tuyo». Pero quería saber qué le pasaba, cómo estaba de su anterior cogida. Si no se sentía curado, si se encontraba cansado, podía descansar hasta el año siguiente. Porque su matador seguía siendo un valiente y nunca sentía miedo. De eso estaba seguro.

Carmen le pedía que dejase los toros. No necesitaban más dinero, debía *cortarse la coleta, como decían los de su oficio. ¿Para qué seguir toreando?

¡Cosas de mujeres! ¿Cómo iba a dejar los toros a los treinta años? Escribió a los dos que la corrida iba a ser un gran éxito. Si los toros eran buenos, podía quedar como el mismo Roger de Flor.

¡Los toros «buenos»! Antes nunca se ocupaba de eso. Él veía los toros por primera vez cuando salían al redondel. Ahora, por el contrario, siempre preparaba su éxito estudiándolos antes de salir a la plaza.

El tiempo estaba mejor. Por la tarde, Gallardo fue solo a la plaza. Allí estaba Potaje, que quería probar los caballos para el día siguiente. El matador fue a ver los toros. El *mayoral de la plaza le ayudó a elegir.

Otro hombre se unió al grupo, un viejo que se ocupaba de limpiar la plaza. A veces se dejaba ayudar en su trabajo por seis muchachos. A cambio, les dejaba ver la corrida los días de fiesta, desde una puerta por donde podían observar el redondel sin pagar.

–¡Mucho cuidado con el tabaco! El que se quede una colilla[82] de puro, no ve el domingo la corrida.

Él limpiaba la parte de la sombra, recogiendo todo lo olvidado por la gente rica: abanicos, alguna joya, pañuelos, monedas. También preparaba las colillas, las ponía a secar, y luego vendía el tabaco. Los chicos limpiaban la parte del sol, la de la gente pobre que sólo dejaba trozos de naranja, papeles y colillas, cosas menos elegantes.

Gallardo dio un puro al viejo y salió otra vez al patio. Un antiguo torero, Pescadero, observaba los caballos. Ahora tenía una taberna, y llevó allí a Gallardo. Con él trabajaba un chico al que le faltaba un brazo. Gallardo se acordaba de él, había sido un buen banderillero, pero una cornada le había dejado inútil: hubo que cortarle el brazo.

–Lo he recogido, Juan, dijo el Pescadero. Si al hombre, *ensima* de sus *desgrasias*, le quitas el *güen corasón*, ¿*pa* qué sirve?

Ya no tenían mucho dinero. Sólo vivían medio bien gracias a la taberna y a la escuela de toreros: cerca de su tienda, el Pescadero daba clases. Los alumnos eran extranjeros o señoritos que querían aprender a torear, para quedar bien delante de los amigos.

En ese momento, un señor con aspecto de extranjero, viejo y gordo, iba a poner banderillas a Morito, el valiente toro de madera. Un chico le daba vida a la fiera, empujándola: Morito, toreado miles de veces, sabía tanto como los hombres. El alumno clavó las banderillas. Todos aplaudieron, especialmente su mujer, que asistía a las clases, y el Pescadero:

–De maestro, «mosiú»[83]. Es usted un maestro.

Y el alumno pidió vino para celebrarlo. Todos brindaron por el nuevo torero, hasta Morito, porque el chico también bebió.

Eso es lo que pasaba cuando uno dejaba los toros: un buen espada acababa siendo tabernero. Y vivía diciendo tonterías y mentiras a unos alumnos que nunca iban a torear. Gallardo estuvo pensando en ello toda la noche. Él no podía dejar los toros.

Tanto consiguió animarse Gallardo que fue a la corrida sin las ideas negras de otras tardes.

El primer toro, enormemente agresivo, tiró al suelo a los tres picadores. Dos pobres caballos quedaron medio muertos[84], echando oscura sangre por el pecho. El tercero corrió, loco de sorpresa y de dolor. Por fin cayó al suelo el cuerpo del pobre animal y hubo que matarlo.

Gallardo buscaba a doña Sol entre la gente. Al fin la vio: parecía una extranjera, con su pelo rubio asomando debajo del sombrero. Allí estaba el amigo, sentado con ella. ¡Ay, doña Sol! Iba a ver quién era él.

–¡Fuera todo el mundo! –gritó Gallardo.

Sus pases recibieron el aplauso de la gente. Los amigos estaban contentos. Cuando el toro se quedó quieto, Gallardo entró a matar. Pero se quitó de los cuernos muy deprisa.

La gente protestó. ¿Por qué?, se preguntaba Gallardo. Había entrado muy bien...

Pues no. La espada, cruzada, asomaba por el otro lado del cuerpo del animal. ¡Pobre toro! Los enemigos del torero gritaban, furiosos. ¡Ladrón! ¡Sinvergüenza!

Gallardo intentó *descabellar. No era capaz. ¡Una! La plaza se burlaba. ¡Dos! Repitió con el estoque, pero el toro seguía vivo. ¡Tres!

Por fin, murió el toro. El espada fue despacio hacia la *presidencia. El público acompañó su paseo con un silencio seco. Nadie lo aplaudía. Gallardo pensaba con vergüenza en doña Sol. ¡Que *mardita* idea, venir a la corrida, y con aquel amigo!

Ya no era el mismo, no. Ni sus brazos, ni sus piernas eran los mismos. «¡Hoy me coge!»

Recibió con el capote a su segundo toro. ¡Qué animal! Parecía distinto al que había elegido el día anterior. «Me coge, seguro. Hoy salgo de la plaza con los pies por delante...»

A pesar de eso Gallardo siguió toreando. Oyó unos débiles aplausos. Y llegó el momento de matar.

No sabía qué hacer. Si el toro movía la cabeza, él saltaba inmediatamente, y oía cómo se burlaba la plaza. Por fin decidió tirarse sobre la bestia con el estoque. Pero de nuevo el público, cada vez más enfadado, llenó la plaza con furiosos gritos: la espada sólo había entrado unos centímetros y después de clavarse en el cuello de la fiera, salió por el aire a gran distancia. Gallardo intentó matar otra vez, pero sus piernas no le respondieron y la fiera lo tiró al suelo. Se levantó con el pantalón roto, con una zapatilla menos y la coleta colgando. Aquel elegante joven tan querido antes por el público, estaba ahora ridículo, con las ropas interiores al aire.

Varios capotes lo rodearon para ayudarlo. Hasta los otros dos espadas le prepararon el toro para que acabase con él rápidamente. Pero Gallardo parecía ciego y sordo. Loco de miedo, no entendía nada y repetía «¡Fuera todo el mundo!», sin saber lo que decía. Pensaba que ésa era su última cogida. Hasta sus amigos callaban con vergüenza, sin poder explicarse algo tan extraño.

Intentó matar. Imposible.

–¡Ladrón! ¡Mal torero!

Desde algún lugar de la plaza, se burlaban de él cambiándole el nombre:

–¡Juanita! ¡Ten cuidado!

Una parte del público se volvió al presidente. Éste dio una orden: el primer *aviso. Si antes del tercero no había matado el toro, el animal iría al *corral, sufriendo Gallardo la mayor vergüenza para un torero.

La gente, furiosa, tiraba a la arena naranjas, pan, y lo que encontraba. Doña Sol no miraba al redondel.

Segundo aviso.

¡Al fin!... El animal cayó.

La salida de la plaza fue triste. Gallardo se escondía detrás del Nacional. Protestaba hasta la gente que no había estado en la corrida. Un grupo de chicos rodeó el coche gritando. Otros tiraron una piedra que dio en la rueda del coche.

Dos guardias llegaron a caballo y siguieron detrás. Acompañaban a Juan Gallardo, «el primer hombre del mundo».

X

ACABABAN las cuadrillas de salir al redondel, cuando dieron fuertes golpes en una de las puertas de la plaza. El empleado abrió: eran un hombre con ancho sombrero y una mujer vestida de negro y con mantilla.

–Soy el *cuñao* de Gallardo y esta señora es su *mujé*.

Carmen había decidido ir a Madrid después de conocer por los periódicos el desastre del domingo anterior en la plaza. Quería estar cerca de su marido. Y quiso ir a la plaza aunque no pensaba asistir a la corrida.

Carmen se quedó rezando a la Virgen de los toreros, mientras el cuñado se fue a ver la corrida. Rezaba allí y le parecía estar en la plaza al mismo tiempo. Oía un ruido de mar furioso, cortado por profundos silencios y adivinaba qué estaba pasando. Temblaba, se sentía enferma. Intentaba rezar otra vez para no escuchar nada de fuera.

No podía más. Necesitaba aire y sol. Salió al patio: sangre por todos lados.

Volvían los picadores. Los caballos heridos dejaban horribles manchas. Potaje, entre tanto, decía a todos:

–¿Habéis visto qué *güeno* ha *estao* Juan? Hoy viene muy *güeno*.

Carmen no podía más. El olor horrible, la sangre que corría por el patio y el dolor de los pobres caballos le hacían sentirse muy mal.

Desde la plaza llegó el ruido de un gran aplauso. Acababa de morir el primer toro. Carmen vio venir a su cuñado, feliz con lo que estaba pasando en el redondel.

–¡Juan, mejor que nunca! No tengas miedo... Ese chico se come a los toros vivos.

Pero Carmen quería salir de allí, esperar en una iglesia. Mientras Antonio la acompañaba hacia la puerta, pensaba dónde iba a dejar a su cuñada para volver a la plaza lo antes posible.

Cuando salió el segundo toro todavía le estaban felicitando a Gallardo.

¡Qué valiente era Gallardo! Era el de siempre. La plaza lo aplaudía con el entusiasmo de otros tiempos.

Sin embargo, de pronto los aplausos callaron. Y el público empezó a protestar:

–¡Eso no es un toro...!¡Señor Presidente...!

Un toro *manso. ¡Eso no podía ocurrir en la plaza de Madrid! Caían en el redondel naranjas y botellas. «¡Fuego!...¡Fueeego!»

El presidente sacó un pañuelo rojo. *Banderillas de fuego. La plaza aplaudió.

El Nacional, con unas banderillas que parecían envueltas en papel negro, fue hacia el toro. Al ponérselas, empezó a salir humo del cuello del animal. Los pelos se quemaban y en su lugar se dibujaba una mancha negra. El ruido de los tiros que salían de su cuello, hacía saltar de miedo al toro. El público aplaudía y reía.

Otro par. Y otra vez el humo, y los tiros, y la carne quemada...

Gallardo esperaba. «¡*Mardita* sea! ¡Un toro manso...!» Miraba a doña Sol. Antes lo había aplaudido, y al darse cuenta de que el torero la miraba, hasta lo había saludado. Y el amigo antipático, también. Gallardo pensaba ir a verla al día siguiente, por si las cosas habían cambiado.

Llegó la hora de matar. El dolor había despertado a la fiera, que ya tenía ganas de luchar, de defenderse de aquel hombre, el primero que se ponía ante sus cuernos. ¡Olé! Aquello estaba mejor. La gente aplaudía a la vez al torero y al toro.

De pronto, todo quedó en silencio. Un silencio tan grande que llegaron hasta los últimos bancos los menores ruidos del redondel. Todos oyeron cómo Gallardo echaba atrás lo que quedaba de las banderillas. «¡Ahora!», decían todos interiormente.

Gallardo se tiró a matar y todo el público respiró a un tiempo. Pero no lo hizo bien; el toro salió corriendo, furioso, y los aficionados olvidaron su entusiasmo de poco antes.

Gallardo recogió la espada y, con la cabeza baja, fue otra vez hacia el toro. «*Mardita* sea», ¿siempre iba a ocurrir lo mismo? El público se puso en pie. Ahora, sí. Hombre y fiera, por unos segundos, fueron un solo cuerpo. Los que más entendían iban ya a aplaudir. ¡Una estocada de verdad!

Pero, de pronto, el hombre salió de entre los cuernos, despedido fuertemente. Cayó en la arena, de donde lo levantaron los cuernos del toro. Otra vez lo dejó caer el animal, que siguió corriendo con la espada clavada en el cuello hasta el puño. El torero se levantó entre aplausos y gritos de toda la plaza: «¡Olé los hombres! ¡Bien por el niño de Sevilla!» Había *estao güeno.*

El torero no contestaba. Parecía no oír estas voces de entusiasmo. Se llevó las manos al vientre y empezó a andar como un borracho con la cabeza baja, hasta que cayó en la arena, igual que un enorme gusano[85] de seda y oro. Entre cuatro empleados se lo llevaron. El Nacional se unió al grupo, cogiendo la cabeza del maestro por debajo. El herido iba pálido, amarillo. Sus ojos parecían de cristal.

La plaza se había quedado en silencio. Todos miraban a su alrededor con sorpresa, sin saber muy bien qué pensar. ¿Había sido grave la cogida? Nadie había visto sangre: tal vez no era nada, un golpe en el vientre, pensaban los más optimistas. En el redondel, la fiera todavía estaba en pie.

El torero se llevó las manos al vientre y empezó a andar como un borracho con la cabeza baja, hasta que cayó en la arena, igual que un enorme gusano de seda y oro.

El Nacional ayudó a colocar a su maestro en una cama de la enfermería. Gallardo cayó en ella pesadamente, con los brazos fuera.

Sebastián, que tantas veces había visto herido al espada sin perder por esto la calma, sentía ahora un gran miedo al verlo tan pálido.

Llegaron los médicos. Garabato empezó a quitar las ropas al torero.

El Nacional apenas podía ver el cuerpo. Los médicos se preguntaban con la mirada. No se veía sangre pero...

Entró, nervioso, el doctor Ruiz. Entre él y Garabato acabaron de abrirle las ropas.

Hubo un momento de sorpresa y dolor alrededor de la cama. El banderillero no se atrevía preguntar. Miró entre las cabezas de los médicos, y vio, medio desnudo, el cuerpo de Gallardo. Una herida de labios rojos y azules cruzaba el vientre. El doctor Ruiz movió la cabeza con tristeza. Además de la herida horrible, sin solución, el torero había recibido un golpe gravísimo al chocar con el toro. No respiraba.

–¡Doctor... doctor! El banderillero quería saber toda la verdad.

–¡Se acabó, Sebastián! Puedes buscarte otro matador.

El Nacional levantó sus ojos a lo alto. ¡Y así acababa un hombre como aquél, sin decir una palabra, sin poder darles la mano a los amigos, sin oír su adiós...!

El dolor le hizo salir de la enfermería. ¡Ay, él no podía ver aquello! ¡Él no era como Potaje, que se quedaba quieto y serio a los pies de la cama, mirando al muerto como sin verlo!

Iba a llorar como un niño.

La horrible noticia empezaba a correr por la plaza. ¡Gallardo había muerto! Unos se lo creían, otros no. Pero nadie se iba: la corrida aún estaba en la mitad.

Por la puerta del redondel llegaba el ruido de la música. En ese momento, el banderillero, herido en lo más profundo de su corazón, odiaba con todas sus fuerzas su oficio, los aficionados, todo lo que tenía a su alrededor.

Pensó en el toro, al que se llevaban en esos momentos con el cuello quemado y manchado de sangre; con las patas rígidas[86] y los ojos sin vida.

Y vio con la imaginación al amigo, muy cerca de él, quieto para siempre, los brazos y las piernas tambien rígidos, con el vientre abierto y los ojos que no miraban.

¡Pobre toro! ¡Pobre espada!

De pronto, la plaza gritó con alegre emoción para saludar lo que quedaba de corrida. El Nacional cerró los ojos y cerró los puños.

Rugía la fiera: la verdadera[87], la única.

SOBRE LA LECTURA

Para comprobar la comprensión

I

1. *¿Quién es Garabato? ¿Y el Nacional?*
2. *¿Qué siente Gallardo antes de la corrida?*
3. *¿Cómo resulta la corrida para Gallardo?*
4. *¿Para quiénes son los telegramas que envía Garabato después de la corrida?*

II

5. *¿Nació Gallardo en una familia rica?*
6. *¿Quería doña Angustias que su hijo fuera torero?*
7. *¿Cómo son los primeros tiempos de Gallardo en los toros? ¿Fáciles?*
8. *¿Qué reacciones provocó la boda de Gallardo?*
9. *¿Qué sorpresa da Gallardo a su madre y a su mujer después de su primer gran éxito?*

III

10. *¿Quién es don José?*
11. *¿Por qué piensa Gallardo que el Nacional, a pesar de odiar a la Iglesia, parece un cura?*
12. *¿Cómo se conocen Gallardo y doña Sol?*
13. *¿Es doña Sol como las otras mujeres de Sevilla?*

IV

14. *¿En qué ha cambiado Gallardo desde que conoce a doña Sol?*
15. *¿Quién es el Plumitas?*
16. *¿Es feliz Gallardo con doña Sol? ¿Por qué?*
17. *Desde su vuelta del extranjero doña Sol estaba muy fría con Gallardo. ¿Por qué, entonces, quiere ahora acompañar a Gallardo a La Rinconada?*

V

18. *¿Qué reacciones provoca la llegada del Plumitas a La Rinconada?*
19. *¿Qué viene a hacer el Plumitas allí?*
20. *Para el Plumitas, Gallardo y él son como compañeros. ¿Por qué?*
21. *¿Es el Plumitas como doña Sol se lo había imaginado? ¿Por qué le da doña Sol una rosa?*

VI

22. *¿Cómo reacciona la mujer de Gallardo cuando se entera de la visita del Plumitas a La Rinconada?*
23. *¿Qué disculpas da el Nacional sobre esta visita?*
24. *¿Es un éxito para Gallardo la última corrida del año? ¿Cómo termina?*
25. *Después de esa corrida, Carmen cambia. ¿Por qué?*
26. *¿Se acuerda Gallardo de doña Sol? ¿Y ella de él?*

VII

27. *¿Por qué sale Gallardo en la procesión de la Virgen de la Macarena?*
28. *¿Qué noticia hace que la gente se olvide por un momento de los toros?*
29. *¿Qué ha cambiado en el toreo de Gallardo?*

VIII

30. *El ambiente de Madrid y el ánimo de Gallardo son parecidos. ¿En qué?*
31. *¿Por qué Gallardo decide ir a ver a doña Sol?*
32. *Doña Sol no parece la misma mujer que Gallardo conoció en Sevilla. ¿Por qué?*

IX

33. *¿Por qué Gallardo estudia ahora a los toros que va a torear?*
34. *La fiesta de los toros tiene momentos muy duros. ¿Cuáles aparecen aquí?*
35. *Gallardo es ahora un héroe vencido. ¿Por qué?*

X

36. *Gallardo y el toro mueren casi a la vez y el Nacional piensa en las dos muertes. ¿Qué siente?*
37. *¿Cómo reacciona el público después de la cogida de Gallardo?*
38. *¿Qué quiere decir la última frase?*

Para hablar en clase

1. *¿Qué título puede darse a cada capítulo?*
2. *Explique por qué la novela lleva el título de* Sangre y arena.
3. *¿Cuáles son los sentimientos y las supersticiones del torero antes y después de la corrida?*
4. *Comente el contraste entre el torero en pleno éxito y el torero vencido.*
5. *¿Qué representa doña Sol? ¿La suerte, el amor, la muerte?*
6. *¿Qué importancia tienen el color y la luz a lo largo de toda la obra?*
7. *Además de la literatura, la pintura y el cine han tratado repetidas veces el tema de los toros. ¿Qué obras conoce usted sobre este tema?*
8. *¿Qué opina usted de las corridas de toros? ¿Está de acuerdo con el doctor Ruiz? (Ver capítulo VI.)*
9. *¿Existe en su país alguna fiesta donde también interviene un animal?*

NOTAS

Estas notas proponen equivalencias o explicaciones que no pretenden agotar el significado de las palabras y expresiones siguientes sino aclararlas en el contexto de *Sangre y arena*.

m.: masculino, *f.:* femenino, *sing.:* singular, *inf.:* infinitivo.

1 **perfumes** *m.:* líquidos que contienen sustancias de intenso olor, como flores, plantas, etc. **Perfume** también puede aplicarse a cualquier olor agradable. **Perfumarse:** usar perfume para el aseo personal.

2 **duro** *m.:* moneda de cinco pesetas. A principios de siglo tenía un gran valor.

garabato

3 **garabato** *m.:* letras o dibujos mal formados, como los de los niños. Aquí, la herida de Garabato, el mozo de estoques, parece un «garabato». Por eso lo llaman así.

4 **«mardita sea»** *f.:* maldita sea. Maldición, exclamación de disgusto, cuando las cosas salen mal.

5 **Manuel el Espartero:** Manuel García y Cuesta (1865-1894). Matador de toros español que tuvo un gran éxito durante los años 1890 y 1891. Fue famoso por reducir la distancia entre el toro y el torero y por prestar poca atención a los aspectos técnicos. Tuvo por ello frecuentes cogidas hasta que un toro de Miura lo mató en la Plaza de Madrid. A él se debe la famosa frase «más cornadas da el hambre».

6 **capilla** *f.:* iglesia pequeña; aquí, lugar de la plaza de toros donde los toreros rezan antes de salir a torear (ver nota 38).

7 **Virgen de la Paloma** *f.:* la virgen es la madre de Jesucristo. En la cultura española y en la Latinoamericana recibe varios nombres como «Virgen de la Paloma» o «Virgen de la Esperanza». La Virgen de la Paloma es una Virgen muy popular en Madrid. Es tradicional la devoción a «una» virgen en particular, según las regiones y hasta los barrios.

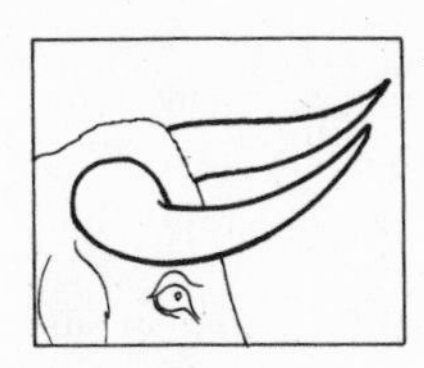

cuernos

8 **aplaudía** (*inf.:* **aplaudir**): chocaba con ruido una mano con la otra en señal de entusiasmo.

9 **rugía** (*inf.:* **rugir**): daba fuertes gritos, como los del león o el tigre, por ejemplo.

aplaudir

10 **reglas** *f.:* principios que establecen cómo se debe hacer una cosa. Aquí, el torero «de reglas» es un torero que torea según la tradición.

11 **cuernos** *m.:* huesos en punta que tienen los toros en la frente. Son sus armas más peligrosas contra el torero.

12 **bestia** *f.:* animal salvaje, de gran tamaño y fuerza. Aquí, el toro.

13 **aplausos** *m.:* efecto de aplaudir.

rana

14 **fiera** *f.:* bestia.

15 **rana** *f.:* batracio de agua dulce, que se mueve dando grandes saltos gracias a sus largas patas traseras.

16 «**sin novedad**»: todo va bien.

17 **zapatero** *m.:* persona que hace y arregla zapatos.

zapatero

18 **hembra** *f.:* normalmente, se aplica a los animales de sexo femenino (contrario: **macho**). Todavía a principios de este siglo, era muy frecuente, en el habla popular, utilizar esta palabra para referirse también a las mujeres.

19 **matadero** *m.:* sitio donde se mata a los animales para la venta posterior de su carne.

20 **bueyes** *m.* (*sing.:* **buey**): machos vacunos. Se utilizan para aprovechar su carne o para trabajar en el campo y no para la reproducción.

21 **gorra** *f.:* prenda para cubrir la cabeza que tiene una visera en la parte de delante para proteger del sol.

22 **tinte** *m.:* sustancia con la que se da un color determinado a una tela.

gorra

23 **cuadra** *f.:* lugar para los caballos y otros animales.

24 **sinvergüenza** (de **sin vergüenza**): persona sin principios ni moral.

25 **aguardiente** *m.:* bebida de fuerte graduación alcohólica.

26 **Semana Santa** *f.:* semana en que la Iglesia Católica celebra la Pasión y Muerte de Jesucristo.

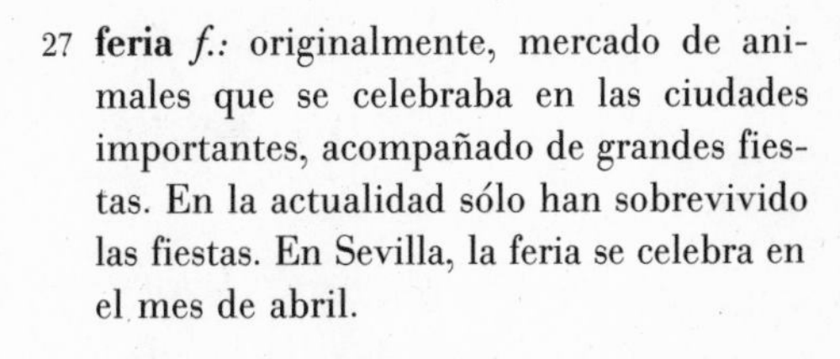
27 **feria** *f.:* originalmente, mercado de animales que se celebraba en las ciudades importantes, acompañado de grandes fiestas. En la actualidad sólo han sobrevivido las fiestas. En Sevilla, la feria se celebra en el mes de abril.

gallina

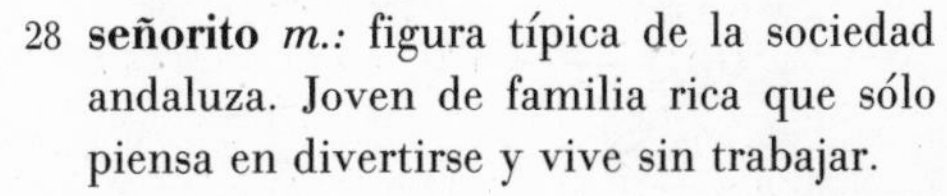
28 **señorito** *m.:* figura típica de la sociedad andaluza. Joven de familia rica que sólo piensa en divertirse y vive sin trabajar.

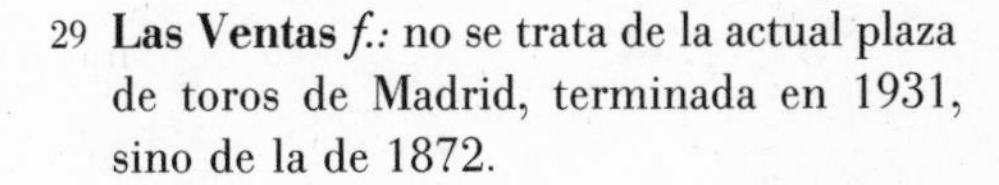
29 **Las Ventas** *f.:* no se trata de la actual plaza de toros de Madrid, terminada en 1931, sino de la de 1872.

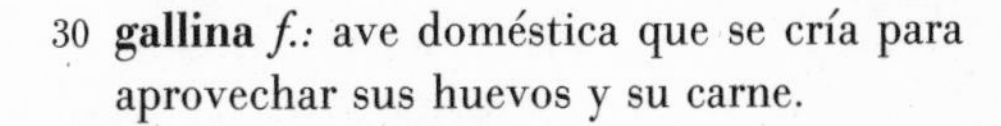
30 **gallina** *f.:* ave doméstica que se cría para aprovechar sus huevos y su carne.

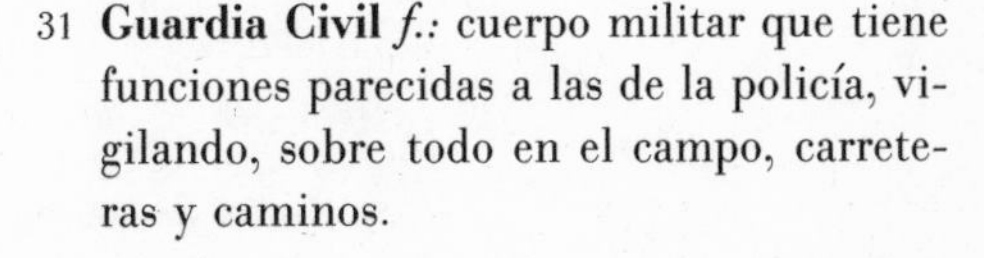
31 **Guardia Civil** *f.:* cuerpo militar que tiene funciones parecidas a las de la policía, vigilando, sobre todo en el campo, carreteras y caminos.

guardia civil

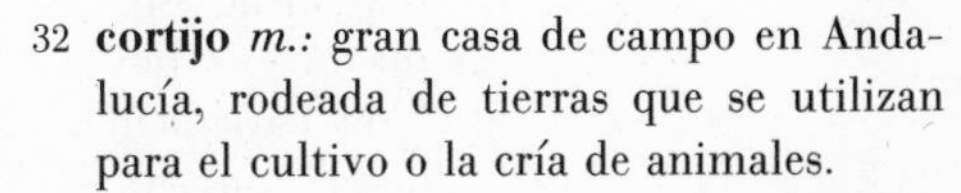
32 **cortijo** *m.:* gran casa de campo en Andalucía, rodeada de tierras que se utilizan para el cultivo o la cría de animales.

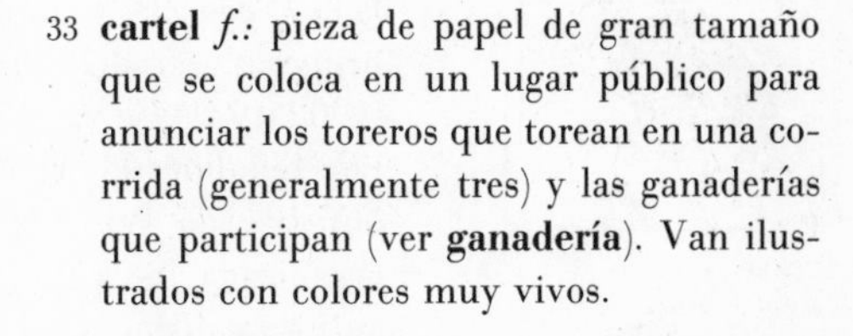
33 **cartel** *f.:* pieza de papel de gran tamaño que se coloca en un lugar público para anunciar los toreros que torean en una corrida (generalmente tres) y las ganaderías que participan (ver **ganadería**). Van ilustrados con colores muy vivos.

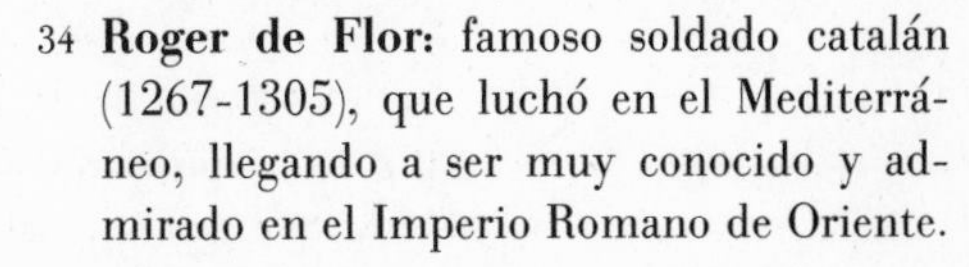
34 **Roger de Flor:** famoso soldado catalán (1267-1305), que luchó en el Mediterráneo, llegando a ser muy conocido y admirado en el Imperio Romano de Oriente.

35 **azulejos** *m.:* placas de cerámica decoradas en distintos colores que se usan en las casas andaluzas para cubrir las paredes y los suelos.

36 **día del Corpus** *m.:* gran fiesta en que se celebra el Cuerpo de Jesucristo, representado en el pan y el vino de la misa. Se celebra siempre un jueves, sesenta días después del Domingo de Pascua de Resurrección.

la Macarena

37 **la Virgen de la Esperanza** *f.:* también llamada **la Macarena** por ser adorada en el popular barrio del mismo nombre, en el norte de Sevilla, cerca de las murallas.

38 **rezando** (*inf.:* **rezar**): dirigiendo una oración a Dios o a los santos.

39 **instrucción** *f.:* educación, conocimientos.

40 **República** *f.:* tras la caída de la Primera República Española (1873-74), es proclamado rey Alfonso XII y se inicia un sistema parlamentario de dos grandes partidos: el conservador y el liberal. Al dejar de lado a las clases populares, durante los primeros años del reinado de Alfonso XIII (1902-1931), se va creando un fuerte partido republicano que cuenta con una clase obrera cada vez más numerosa y mejor organizada. Se caracteriza por su fuerte anticlericalismo y su tendencia a la violencia. Después del éxito republicano en las elecciones de 1931, Alfonso XIII abdicó, y se proclamó así la Segunda República que ya anunciaba El Nacional.

rezar

41 **cantaoras** *f.:* mujeres que cantan flamenco, cante típico andaluz.

42 **«líquido»** *m.:* El Nacional lo usa como sinónimo de mentira.

43 **marqués** *m.:* título de nobleza, intermedio entre duque y conde.

mantilla

44 **Señor del Gran Poder** (**Jesús del Gran Poder**): representación de Jesucristo llevando la cruz. Es una escultura de Juan de Mesa hecha el año 1620.

45 **mantilla** *f.:* pañuelo grande de seda o encaje que las mujeres se ponían en la cabeza para asistir a grandes actos sociales. Ahora sólo se usa en ocasiones muy especiales.

46 **embajador** *m.:* diplomático que representa a su país en un país extranjero.

47 **jinetes** *f.:* hombres a caballo.

jinete

48 **Guadalquivir** *m.:* río de Andalucía que pasa por Sevilla. Es uno de los más importantes de España.

49 **Giralda** *f.:* torre de la catedral de Sevilla, que pertenece a un edificio moro anterior (siglo XII).

50 **clavar:** meter profundamente. Aquí, la garrocha en la carne del toro.

51 **opio** *m.:* droga obtenida de una flor.

52 **héroe** *m.:* hombre de gran valor, capaz de dar su vida en grandes hazañas.

53 **bandido** *m.:* persona que vive fuera de la ley, robando y matando.

54 **vaqueros** *m.:* personas encargadas de cuidar el ganado: toros, vacas, bueyes...

serpiente

55 **Pascua** *f.:* Domingo Santo -de la Semana Santa- (ver nota 26), en que se celebra la resurrección de Jesucristo.

56 **serpiente** *f.:* reptil, a veces venenoso que, para los andaluces supersticiosos, es símbolo de mala suerte.

57 **tuteaba** (*inf.:* **tutear**): hablaba usando «tú». Significa confianza.

58 **carabina** *f.:* arma de fuego, parecida al fusil pero más pequeña.

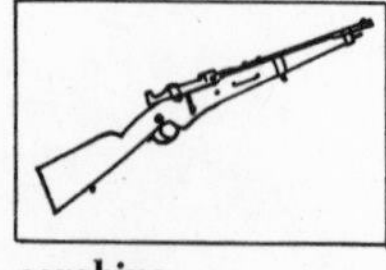
carabina

59 **«gallardista»** *m.:* seguidor de Gallardo.

60 **«mataor de vergüensa»** *m.:* matador de vergüenza y con sentido del honor.

61 **plumas** *f.:* las plumas cubren el cuerpo de las aves. Se usaban para escribir.

62 **Pizarro** (hacia 1475-1541): famoso capitán español, conquistador de Perú. Se dice que, en su infancia y juventud, se ganaba la vida cuidando cerdos.

pluma

63 **litri** *m.:* cursi, persona que, con apariencia elegante, resulta sin embargo ridícula.

64 **aristócrata** *m.* y *f.:* persona que forma parte de la aristocracia o clase noble de un país. Aquí, las clases populares lo usan como insulto contra Gallardo por haberse hecho amigo de los ricos sevillanos.

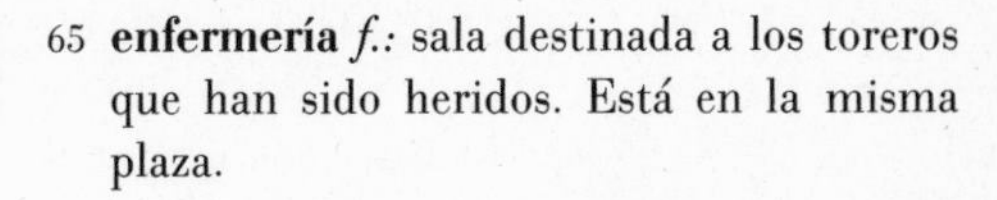
65 **enfermería** *f.:* sala destinada a los toreros que han sido heridos. Está en la misma plaza.

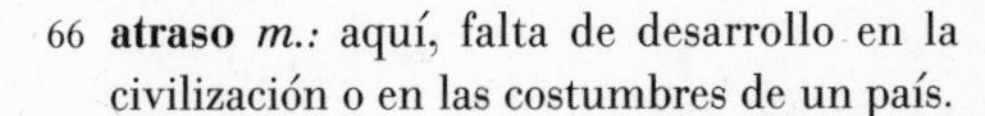
66 **atraso** *m.:* aquí, falta de desarrollo en la civilización o en las costumbres de un país.

procesión

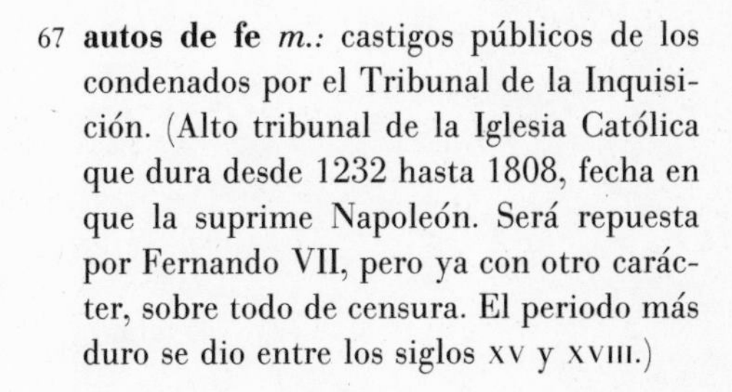
67 **autos de fe** *m.:* castigos públicos de los condenados por el Tribunal de la Inquisición. (Alto tribunal de la Iglesia Católica que dura desde 1232 hasta 1808, fecha en que la suprime Napoleón. Será repuesta por Fernando VII, pero ya con otro carácter, sobre todo de censura. El periodo más duro se dio entre los siglos XV y XVIII.)

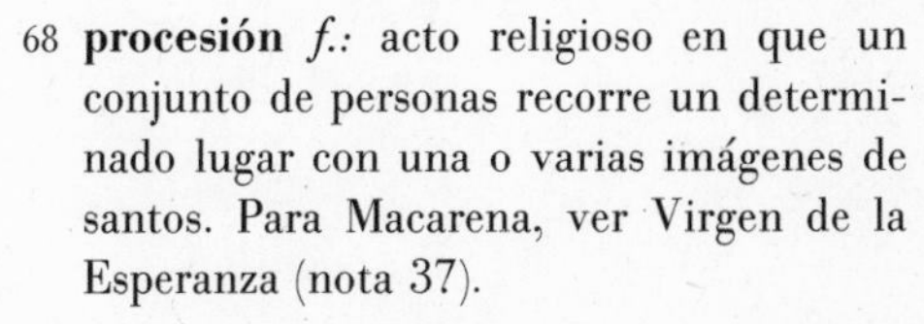
68 **procesión** *f.:* acto religioso en que un conjunto de personas recorre un determinado lugar con una o varias imágenes de santos. Para Macarena, ver Virgen de la Esperanza (nota 37).

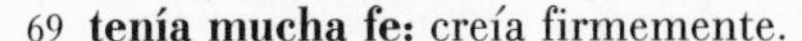
69 **tenía mucha fe:** creía firmemente.

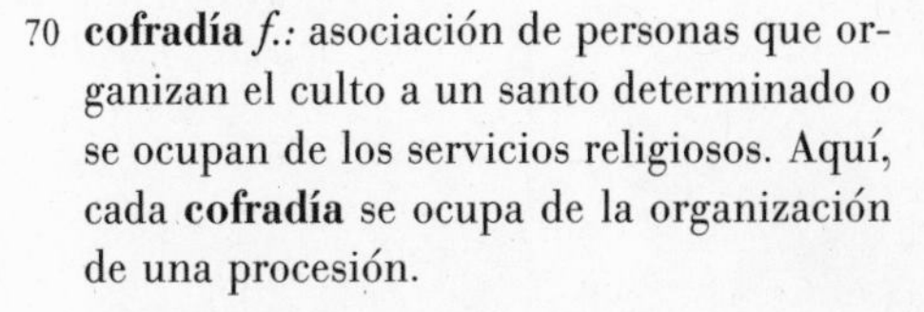
70 **cofradía** *f.:* asociación de personas que organizan el culto a un santo determinado o se ocupan de los servicios religiosos. Aquí, cada **cofradía** se ocupa de la organización de una procesión.

nazareno

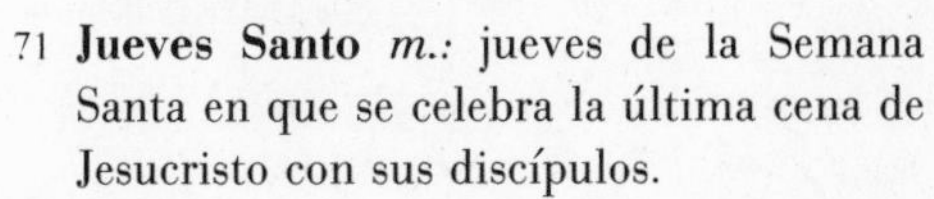
71 **Jueves Santo** *m.:* jueves de la Semana Santa en que se celebra la última cena de Jesucristo con sus discípulos.

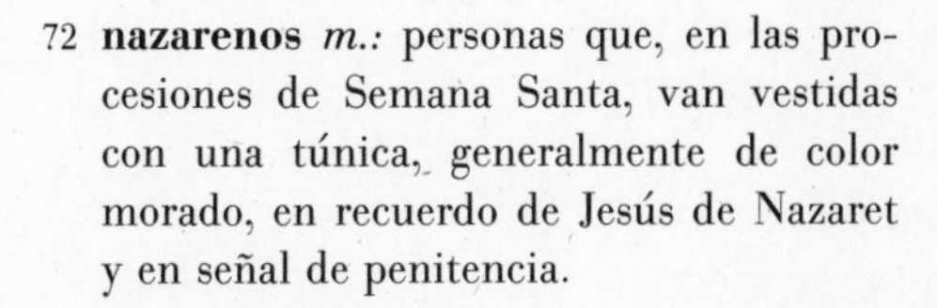
72 **nazarenos** *m.:* personas que, en las procesiones de Semana Santa, van vestidas con una túnica, generalmente de color morado, en recuerdo de Jesús de Nazaret y en señal de penitencia.

73 **caperuza** *f.:* gorro muy alto terminado en punta hacia atrás. Está cubierto de tela y tapa toda la cara, dejando sólo dos agujeros para los ojos. De esta forma, los que salen en procesión pueden ver sin ser reconocidos. Las llevaban los antiguos reos de la Inquisición.

paso

74 **paso** *m.:* grupo de esculturas que representan una escena de la Pasión de Jesucristo. Los pasos se sacan en procesión en la Semana Santa y van montados sobre una estructura de madera que permite llevarlos a hombros.

75 **miserere** *m.:* canto solemne que se hace en el Día de los difuntos (2 de noviembre) o en ceremonias fúnebres y penitenciales. Aquí, se canta en recuerdo de la muerte de Jesucristo.

76 **bastón** *m.:* palo que sirve para apoyarse al andar. Aquí, es el bastón de la cofradía de la Macarena, cubierto de tela verde para distinguirlo de los bastones de las demás cofradías.

flor y fruto del naranjo

77 **tabernas** *f.:* bares típicos donde se bebe vino y otros licores.

78 **naranjo** *m.:* árbol que da naranjas. Su flor, el azahar, tiene un perfume muy intenso.

79 **tiro** *m.:* disparo hecho con arma de fuego.

80 **elecciones** *f.:* votación para elegir a los representantes del gobierno, del ayuntamiento, etc.

81 **Frascuelo:** Salvador Sánchez Povedano (1842-1898). Matador de toros español. A pesar de su estilo poco elegante, fue el torero protegido por la aristocracia por su gran valor en la plaza.

colilla

82 **colilla** *f.:* resto del cigarro que se queda sin fumar.

83 «**mosiú**»: señor (deformación de la palabra francesa «monsieur»).

84 **Dos pobres caballos quedaron medio muertos:** desde los años veinte aproximadamente, los caballos llevan protección para evitar que los alcancen los cuernos de los toros. De esta forma, es muy difícil que los caballos mueran en la plaza.

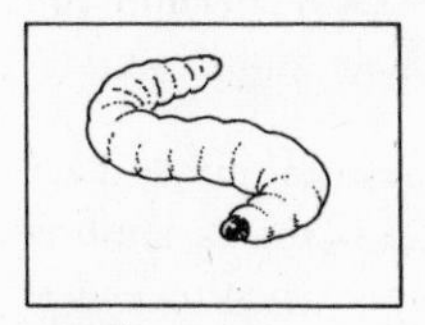

gusano

85 **gusano** *m.:* pequeño animal invertebrado con cuerpo alargado y blando.

86 **rígidas:** que no se pueden doblar.

87 **verdadera:** cierta, auténtica.

GLOSARIO TAURINO

Las palabras explicadas aquí van señaladas en el texto con un asterisco (*). En este glosario se indica el género de las mismas: *m.:* masculino y *f.:* femenino.

aficionado *m.:* persona que siente entusiasmo por un espectáculo, en especial las corridas o el fútbol, y asiste frecuentemente a él.

alternativa *f.:* momento en que el novillero pasa a ser matador de toros (ver **novillero**).

apoderado *m.:* persona a la que el torero ha dado «poder» para representarlo y defender sus intereses.

aviso *m.:* hecho de avisar al torero de que ha pasado el tiempo de matar al toro. El torero dispone para ello de diez minutos desde que empieza la faena.

banderillas *f.:* palos de madera cubiertos con papeles de colores y con punta de metal. Se clavan en el cuello del toro para excitarlo. La persona encargada de poner las banderillas es el *banderillero (m.).*

banderillas de fuego *f.:* banderillas especiales que tenían en la punta cargas de pólvora que se encendían al entrar en contacto con la piel del toro. Iban envueltas en papel negro. Se utilizaban antiguamente durante la corrida para excitar al toro cuando era demasiado manso.

bravo *m.:* se dice de un toro que lucha con valor.

brindar un toro: hacer el *brindis*, es decir, ofrecer la muerte del toro a alguien o a toda la plaza.

capa *f.:* tela fuerte, por lo general rosa por un lado y amarilla por el otro, que se utiliza para torear durante la primera parte de la corrida.

capea *f.:* corrida menor en la que aficionados -y algunas veces toreros profesionales- torean animales jóvenes poco peligrosos sólo con las capas, sin matar al animal.

capote *m.:* ver **capa**.

cogida *f.:* momento en el que el toro «coge» al torero, es decir, lo alcanza con los cuernos.

coleta *f.:* pelo largo recogido detrás de la cabeza en forma de cola. Antes, los toreros la llevaban siempre, incluso en su vida normal. Ahora llevan una falsa coleta. *Cortarse la coleta* es dejar de ser **torero**, retirarse.

contrata *f.:* acuerdo económico entre un apoderado y la empresa de una plaza para que un torero participe en una corrida.

cornada *f.:* herida hecha por el toro con los cuernos.

corral *m.:* lugar de la plaza donde se encierra a los toros antes de la corrida. Cuando el toro no es bueno y no sirve para la corrida es «devuelto al corral». También puede volver al corral si el torero no ha podido matarlo.

cuadrilla *f.:* grupo de dos **picadores** y tres **banderilleros** que ayudan a cada **matador**. Todos son **toreros**.

chaleco *m.:* chaqueta sin mangas, muy ajustada a la cintura, que el torero se pone encima de la camisa.

chaquetilla *f.:* chaqueta corta muy adornada.

derribo de reses *m.:* prueba que se hace en campo abierto para saber si las reses (toros y vacas) son **bravas**.

descabellar: matar al toro de un golpe seco en la parte superior del cuello con una espada o un puñal especiales.

diestro *m.:* **torero** que mata toros, jefe de la **cuadrilla**.

encajonamiento *m.:* momento en que se encierra a los toros en cajones con ruedas y dos puertas (ahora, en camiones especiales) para llevarlos a la plaza donde van a ser toreados.

encerrar los animales: perseguir a los toros hasta meterlos en un lugar cerrado, en la misma plaza de toros, antes de ser toreados. Esta carrera detrás de los toros se llama *encierro (m.).*

entero: se dice de un toro cuando, después de ser picado por los **picadores**, tiene aún demasiada fuerza.

entrar a matar: ver **tirarse** a matar el toro.

espada *f.:* arma blanca con hoja de acero larga y muy estrecha, un poco curvada en la punta.

espada *m.:* ver **diestro**.

estocada *f.:* hecho de clavar el **estoque**. Si la estocada se da en el sitio correcto, debe matar al toro muy rápidamente.

estoque *m.:* espada utilizada por el **matador**.

faena *f.:* cada una de las acciones que realiza el **torero** durante la corrida, sobre todo los **pases** de **muleta**, antes de la **estocada** final.

faja *f.:* banda de tela de seda que rodea la cintura del torero.

ganadería *f.:* cría de animales con fines comerciales. La palabra designa tanto a la explotación como al ganado. Al propietario se le llama «ganadero» y en el caso del **toro bravo**, se suele designar al animal por el nombre del ganadero.

garrocha *f.:* palo de madera muy largo con punta de metal, con el que los *garrochistas* hacen el **derribo** de las reses.

lidia *f.:* lucha con el toro (ver **torear**).

luces *f.:* dibujos bordados en oro o plata, que adornan los trajes de los **toreros** y que brillan cuando les da el sol. De ahí el nombre de *traje de luces*, también llamado *traje de lidia.*

maestro *m.:* **diestro** (**espada, matador**), que hace su oficio con gran perfección.

manso: se dice de un toro que no es **bravo**, al que no se puede torear bien porque no lucha.

matador *m.:* ver **diestro**.

mayoral *m.:* persona responsable de la **ganadería**, que acompaña a los toros cuando viajan y se ocupa de ellos.

Miura *m.:* nombre de un *ganadero*. Por extensión, se dice de un toro de esa **ganadería** que es «**un miura**».

montera *f.:* prenda del traje de **torero** para cubrir la cabeza.

mozo de estoques *m.:* hombre que lleva los **estoques** y **capotes** de cada **torero**.

muleta *f.:* tela roja, más pequeña que la capa, que el **torero** coge por un palo de madera que tiene en la parte superior. El **matador** torea con la muleta en la última parte de la corrida y se ayuda con ella para matar al toro.

novillero *m.:* torero que torea *novillos*, es decir, toros que tienen entre dos y cuatro años.

oreja *f.:* premio que se da al torero por su **faena**. En este caso se dice que el **torero** *ha cortado una oreja.*

pase *m.:* momento en que el **torero** hace pasar el toro por debajo de la **muleta** sin clavarle la **espada**.

picador *m.:* uno de los **toreros** de la **cuadrilla** del **matador**. Siempre va a caballo y *pica* al toro con una *pica*, largo palo de madera con punta de metal, para ver si es **bravo** y para quitarle fuerza.

presidencia *f.:* sitio que ocupa el **presidente** de la corrida en la plaza.

presidente *m.:* persona que marca el ritmo de la corrida y decide cuándo empieza y termina cada parte. Da sus indicaciones agitando un pañuelo. También decide si un toro debe ser devuelto al **corral**, o si el torero merece cortar las orejas del toro, e incluso el rabo.

puerta de caballos *f.:* puerta por la que salen al **redondel** los **toreros** y las **cuadrillas** al principio de la corrida. A partir de este momento, los caballos sólo podrán entrar y salir por esta puerta.

puntillero *m.:* **torero** que, para asegurarse de que el toro ha muerto, le *da la puntilla*. La *puntilla* es un cuchillo que al clavarlo en un lugar concreto del cuello del animal, produce su muerte inmediata.

redondel *m.:* lugar de la plaza donde se torea, también llamado *ruedo*. El suelo del redondel está cubierto, en general, de arena amarilla.

tentar: prueba que se hace en el campo con **garrocha** o con **pica**, y a veces con **capote**, para saber si los toros son **bravos**. A la acción de tentar se le llama *tienta (f.)*.

tirarse: aquí, ir hacia el toro a muy corta distancia para matarlo. Es el momento más peligroso de la corrida.

torear: luchar con el toro, engañándolo con la **capa** o con la **muleta**.

toreo *m.:* arte de **torear**.

torero *m.:* hombre que torea.

trastos de matar *m.:* **muleta** y **estoque**.

vaya por usted, por ustedes: fórmulas usadas por el matador para **brindar** el toro.

ÍNDICE